CLASSIQUES LAROUSSE

Collection fondée en 1933 par FÉLIX GUIRAND
continuée par
LÉON LEJEALLE (1949 à 1968) et JEAN-POL CAPUT (1969 à 1972)
Agrégés des Lettres

VOLTAIRE

ZAÏRE

tragédie

avec une Notice biographique, une Notice historique et littéraire,
un Index, des Notes explicatives, une Documentation thématique,
des Jugements, un Questionnaire et des Sujets de devoirs,

par

CLAUDE BLUM
Agrégé de l'Université

LIBRAIRIE LAROUSSE

17, rue du Montparnasse, 75298 PARIS

RÉSUMÉ CHRONOLOGIQUE
DE LA VIE DE VOLTAIRE
1694-1778

1694 — **Baptême** en l'église Saint-André-des-Arts à **Paris**, le **22 novembre**, de **François Marie Arouet**, « né le jour précédent », fils de Mᵉ François Arouet, conseiller du roi, ancien notaire au Châtelet de Paris, et de Marguerite Daumart de Mauléon. Le parrain est François de Castagnier de Châteauneuf, abbé commendataire de Varenne. — Les Arouet descendaient d'une famille poitevine de tanneurs et de drapiers. François Marie avait un frère de dix ans et une sœur de neuf ans, qui deviendra Mᵐᵉ Mignot. — Mᵐᵉ Arouet, fille d'un greffier criminel au parlement de Paris, avait brillé à Versailles et se distinguait par son esprit mordant. Les réceptions de Mᵉ Arouet étaient brillantes : on y rencontrait le chansonnier Rochebrune, Ninon de Lenclos, le duc de Richelieu, Saint-Simon, l'abbé de Châteauneuf et Boileau, voisin de la famille.

1701 — Mort de sa mère. C'est l'abbé de Châteauneuf, l'oncle « libertin », qui se charge de l'éducation du futur Voltaire.

1704 — François Marie Arouet entre au **collège Louis-le-Grand,** tenu par les **jésuites**, alors que son frère aîné avait été mis à Saint-Magloire, maison d'enseignement janséniste. L'établissement accueille les héritiers des plus hautes familles : d'Argental et Pont de Veyle, Cideville (futur conseiller au parlement de Rouen), Fyot de La Marche (qui sera président au parlement de Bourgogne), les deux frères d'Argenson (destinés l'un et l'autre à devenir ministres).

1706 — L'abbé de Châteauneuf l'introduit dans la **société du Temple** : il y a là le grand prieur Philippe de Vendôme et son frère le maréchal de Vendôme, l'abbé de Chaulieu, le marquis de La Fare, l'abbé Servien, le duc de Sully, l'abbé de Courtin. Il amuse la marquise de Mimeure avec la chronique du collège, fait rire la duchesse de Richelieu avec ses propos libertins. — Il n'en poursuit pas moins des **études solides**, s'intéressant beaucoup à l'histoire contemporaine et aux choses de la politique : parmi ses maîtres éminents, le père Tournemine, le futur abbé d'Olivet. De son éducation, il conservera une vive admiration pour les grands auteurs de l'Antiquité et un **goût** étroitement, mais fermement **classique**.

1711 — Au sortir du collège, une charge d'avocat du roi attend le brillant sujet. Il se dégoûte très vite des études de droit et surtout ne veut pas d'« une considération qui s'achète ». Il veut « s'en faire une qui ne coûte rien ». Le révolté fait si bien qu'on doit l'éloigner quelque temps à Caen.

1713 — Le marquis de Châteauneuf, frère de l'abbé, étant devenu chargé d'affaires à La Haye, rejoint son poste et emmène Arouet avec lui : peut-être l'intéressera-t-il à la diplomatie. A peine **arrivé dans la capitale hollandaise**, le jeune homme fréquente le salon de Mᵐᵉ du Noyer, réfugiée protestante, qui avait fondé un périodique satirique, *la Quintessence*. Il collabore à cette publication et s'intéresse à la fille de la maison, Olympe ; il rêve de fuir avec elle à Paris et va jusqu'à intéresser le père Tournemine à cet enlèvement, en le persuadant qu'il s'agit d'arracher une âme à la religion protestante. — En décembre, Arouet revient, seul, à Paris et commence un **stage** dans l'**étude d'un procureur**, Mᵉ Alain ; il y fait la connaissance de Thiriot (ou Thieriot), à qui une longue amitié le liera.

1714 — **Publications satiriques** : *le Bourbier*, dirigé contre Houdar de La Motte, et l'*Anti-Giton*. L'imprudent qui **commence à signer Voltaire** doit chercher asile chez M. de Caumartin, au château de Saint-Ange, sur les bords du Loing.

© *Librairie Larousse*, 1972.   ISBN 2-03-870189-X

1716 — De retour à Paris, Voltaire se mêle aux intrigues contre le Régent. Après en avoir ri, celui-ci l'envoie à Sully-sur-Loire.

1717 — Retour à Paris (janvier). Deux nouveaux **poèmes satiriques** lui sont attribués; le second (*Puero regnante*) est de lui. **Le Régent envoie Voltaire à la Bastille** (mai), où il compose un chant de *la Henriade*.

1718 — Sortie de prison (avril), mais obligation pour lui de résider à Châtenay; jusqu'en octobre, chacun de ses séjours à Paris sera soumis à une autorisation spéciale. — **Triomphe d'Œdipe**, tragédie (novembre) qui a quarante-cinq représentations successives. Le Régent, à qui est dédiée la pièce, accorde une pension.

1719-1722 — Voltaire mène une vie de plaisirs : il assiste aux Nuits de Sceaux, chez la duchesse du Maine. Il dédie à une aventurière, Mme de Rupelmonde, l'*Épître à Uranie*, qui deviendra *le Pour et le contre*. — En 1722, il séjourne, par prudence, en Hollande.

1723 — Mort de son père. Lui-même manque d'être emporté par la petite vérole. — Publication, sans autorisation de la censure, par les soins de l'abbé Desfontaines, de *la Ligue ou Henri le Grand*, poème épique.

1724 — Première représentation de *Mariamne* (mars), qui sera reprise avec *Œdipe* et la comédie de *l'Indiscret* lors des fêtes données à l'occasion du mariage de Louis XV l'année suivante.

1725 — Voltaire fréquente des amis du duc d'Orléans, fait quelques avances au cardinal Dubois. Il est assez lié avec Mme de Prie, « fée de la Bourse ». — Voltaire et le chevalier de Rohan s'étant pris de querelle (décembre), ce dernier le fait bâtonner.

***

1726-1727 — Un duel était prévu entre Voltaire et son antagoniste (avril 1726), quand on incarcère l'écrivain à la **Bastille**; au début de mai, Voltaire **part pour l'Angleterre**, où il est reçu par lord Bolingbroke en son hôtel de Pall Mall, à Londres. Il fait là de nombreuses connaissances : le duc de Newcastle, Bubb Dodington (futur lord Melcombe); il fréquente chez Pope, à Twickenham. Il rencontre Swift, qui publiait un journal humoristique, le *Graftsman*, et John Gay, auteur dramatique et poète. Il prend connaissance de l'*Essai sur l'entendement humain* de Locke, fréquente Young, Berkeley et Clarke. Il admire non sans réserve le théâtre de Shakespeare : *Julius Caesar* lui inspira *la Mort de César*, tandis qu'*Othello* lui donne l'idée de *Zaïre*. — Vite familiarisé avec la langue du pays, il fait paraître en anglais deux ouvrages revus par Young : *Essai sur les guerres civiles de France* et *Essai sur la poésie épique*. Tous les thèmes familiers à Voltaire s'y trouvent déjà et ils plaisent aux Anglais : antipapisme; hommage à l'Angleterre, reine des arts, des armes et des lois; égards dus aux gens de lettres.

1728 — Édition remaniée de *la Ligue*, sous le titre de *la Henriade*, dédiée à la reine d'Angleterre. — **Retour en France** (fin de l'année); période de travail : Voltaire rédige l'*Histoire de Charles XII*, met au point les *Lettres anglaises* et les autres œuvres qui paraîtront les années suivantes.

1729-1730 — Reprise d'une vive activité : Voltaire se lance dans des **spéculations financières**, qui lui permettront d'avoir l'aisance nécessaire à son confort et à son indépendance. — Mort d'Adrienne Lecouvreur (15 mars 1730), titulaire du rôle de Jocaste dans *Œdipe* : l'Église refuse à l'actrice la sépulture chrétienne; Voltaire protestera plus d'une fois contre cette indignité. — Succès de *Brutus*, tragédie (11 décembre 1730).

1731-1732 — Saisie du premier volume de l'*Histoire de Charles XII;* interdiction de *la Mort de César*. — Éclatant succès de *Zaïre* (13 août 1732).

1733 — Le Temple du goût, œuvre de critique littéraire favorable aux grands classiques du XVIIᵉ siècle, soulève des polémiques. — Rencontre de Mᵐᵉ du Châtelet : c'est le début d'une longue liaison.

1734 — Adélaïde du Guesclin (18 janvier). — **La publication des Lettres philosophiques,** auxquelles sont jointes les Remarques sur Pascal, met Voltaire sous la menace d'une arrestation. Celui-ci se réfugie au **château de Cirey, en Lorraine, chez Mᵐᵉ du Châtelet :** tout en ayant dès l'année suivante la permission de revenir à Paris, il trouvera pendant de longues années à Cirey l'abri qui lui permettra de se tenir à distance des menaces de l'autorité.

1735-1736 — Représentations de la Mort de César (11 août 1735), d'Alzire (27 janvier 1736); publication du poème **le Mondain** (novembre 1736); nouvelles menaces d'arrestation.

1737-1739 — Voyages aux Pays-Bas, en Belgique, avec, de nouveau, quelques passages à Paris. Les longs séjours à Cirey sont surtout consacrés à des études scientifiques, qui passionnent Mᵐᵉ du Châtelet. Publication des Eléments de la philosophie de Newton (1737), des Discours en vers sur l'homme (1738).

1740 — Première rencontre de Voltaire et de Frédéric II, à Clèves (11 septembre); court voyage à Berlin (novembre).

1741-1744 — Voltaire joue un **rôle actif dans la diplomatie officieuse :** il accomplit deux missions (septembre 1742 et septembre 1743) auprès de Frédéric II, qui ne se laisse cependant pas ramener dans l'alliance française. — Succès de **Mahomet** (1742) et de **Mérope** (1743).

1745-1746 — Années de gloire officielle : représentation de la Princesse de Navarre à l'occasion des noces du Dauphin; composition du Poème de Fontenoy (1745). Voltaire est nommé historiographe du roi (mars 1745) et **élu à l'Académie française (mai 1746).** Le pape Benoît XIV accepte la dédicace de Mahomet.

1747-1748 — Les relations avec le pouvoir sont moins bonnes; Voltaire se retire à Sceaux, chez la duchesse du Maine, pour écrire **Zadig,** dont la première version paraît à Amsterdam (septembre 1747). — Séjours à la cour du roi Stanislas, à Lunéville. — Sémiramis, tragédie (août 1748), a peu de succès.

1749 — Nanine, comédie; Memnon, conte. — **Mort de Mᵐᵉ du Châtelet** (10 septembre) : désarroi de Voltaire.

1750-1753 — Départ pour la Prusse (28 juin 1750). Les bonnes relations entre Voltaire et Frédéric II s'altèrent assez vite. Le pamphlet de Voltaire (Diatribe du docteur Akakia) contre le savant Maupertuis, directeur de l'Académie de Berlin, envenime les choses; Voltaire quitte Berlin le 27 mars 1753. — Publication du **Siècle de Louis XIV** (1751) et de **Micromégas (1752).**

1755 — Après une année passée à Colmar, Voltaire s'installe à **Genève et y achète les Délices** (février); dès le mois de juillet, il se voit refuser par le Consistoire l'autorisation de donner des représentations théâtrales. — La Comédie-Française représente l'Orphelin de la Chine (août). — Voltaire rédige des articles pour l'Encyclopédie : il remercie Rousseau de lui avoir envoyé le Discours sur l'origine de l'inégalité (lettre du 30 août 1755).

1756 — L'Essai sur l'histoire générale et sur les mœurs et l'esprit des nations depuis Charlemagne jusqu'à nos jours, qui deviendra, en 1759, l'Essai sur les mœurs et l'esprit des nations. — Publication en France du Poème sur la loi naturelle (écrit en 1751) et du Poème sur le désastre de Lisbonne (tremblement de terre de 1755), auquel Rousseau rétorque par sa lettre du **17 août 1756.**

1757 — Voltaire sert d'intermédiaire entre le gouvernement français et Frédéric II, qui cherche à faire la paix; mais le parti de la guerre l'emporte à Paris.

.
*

1758 — Voltaire est accusé, non sans raison, d'avoir inspiré à d'Alembert l'article « Genève » de l'*Encyclopédie* : protestation des pasteurs genevois et de Rousseau (*Lettre à d'Alembert*). — **Achat de la terre de Ferney** (octobre), dans le pays de Gex, où Voltaire, secondé par sa nièce, Mᵐᵉ Denis, s'installe et commence de grands travaux. — *Le Pauvre Diable*, satire contre Fréron, adversaire des philosophes.

1759-1761 — Publication de *Candide* (janvier 1759). — Désormais, sûr de son indépendance et décidé à user de toute son influence, Voltaire intensifie les polémiques contre les adversaires des philosophes (*Relation de la maladie du jésuite Berthier*, 1759). — *La Vanité*, satire contre Lefranc de Pompignan, auteur de poésies sacrées. — La rupture avec Rousseau est complète : les *Lettres sur la Nouvelle Héloïse* (1761), sous la signature du marquis de Ximénès, ridiculisent le roman de Rousseau.

1762-1764 — Tout en continuant à améliorer l'organisation et l'économie de son domaine de Ferney, Voltaire **entreprend de réhabiliter Calas**, protestant toulousain condamné à mort et exécuté après avoir été faussement accusé du meurtre de son fils. Le *Traité sur la tolérance* (1763) est destiné à cette campagne. Le *Dictionnaire philosophique portatif* (1764) est un instrument de propagande largement diffusé. — *Jeannot et Colin*, conte (1764). — *Commentaires sur le théâtre de Corneille* (1764), dont l'édition est donnée au profit d'une descendante de Corneille, adoptée par Voltaire.

1765 — *La Philosophie de l'histoire*. — **Réhabilitation de Calas**. Voltaire se charge de la défense de la **famille Sirven** : le roi de Prusse, Catherine de Russie, les rois de Pologne et de Danemark aident financièrement Voltaire dans son action judiciaire, qui sera finalement gagnée en 1771.

1766-1773 — Action directe : Voltaire entreprend la **procédure en réhabilitation du chevalier de La Barre**, condamné et exécuté (juillet 1766) pour manifestations libertines sur le passage d'une procession : l'attitude du chevalier, pour certains parlementaires, trouverait sa source dans les ouvrages des philosophes. Il fait réhabiliter également Montbailli et dresse le front philosophique contre la candidature du président de Brosses à l'Académie. Il entreprend enfin la réhabilitation de Lally-Tollendal, condamné et décapité en 1766 à la suite de la capitulation de Pondichéry. — Publication de contes : *l'Ingénu* (1767), *la Princesse de Babylone* et *l'Homme aux quarante écus* (1768). — *Les Guèbres*, tragédie (1769). — *Épître à Horace* (1772).

1775 — Voltaire affranchit le pays de Gex de la gabelle; grande admiration pour Turgot, dont un édit a permis cette réforme demandée par Voltaire. — *Histoire de Jenni*, conte.

1778 — Il se rend, très malade, à Paris chez le marquis de Villette; c'est un défilé ininterrompu pour voir le patriarche : délégations de l'Académie, de la Comédie-Française, personnalités françaises et étrangères (Franklin). — Première d'*Irène* (16 mars), devant toute la Cour. Directeur de l'Académie, après avoir traversé en carrosse d'azur semé d'étoiles d'or Paris en délire (30 mars), Voltaire est couronné à la Comédie-Française. Le 7 avril, par les bons offices de Condorcet, en présence de Franklin, se déroule son initiation maçonnique. — Mai : révision du procès Lally-Tollendal. — **Mort de Voltaire à Paris, le 30 mai.**

Voltaire avait cinq ans de moins que Montesquieu; treize ans de plus que Buffon; dix-huit ans de plus que J.-J. Rousseau; dix-neuf ans de plus que Diderot.

VOLTAIRE ET SON TEMPS JUSQU'EN 1749

	la vie et l'œuvre de Voltaire	le mouvement intellectuel et artistique	les événements historiques
1694	Naissance à Paris de F. M. Arouet (21 novembre).	Réception de La Bruyère à l'Académie. Réconciliation de Boileau et de Perrault après la querelle des Anciens et des Modernes.	Victoire de Jean Bart sur les Hollandais.
1704	Entrée au collège Louis-le-Grand.	Regnard : les Folies amoureuses. Début de la traduction française des Mille et Une Nuits, par Galland.	
1713	Voyage en Hollande avec le marquis de Châteauneuf.	Destouches : l'Irrésolu. Succès à Londres du Caton d'Addison. Découverte des ruines d'Herculanum. Naissance de Diderot.	Traité d'Utrecht : fin de l'hégémonie française en Europe. Bulle Unigenitus, contre le jansénisme.
1717	Accusé d'avoir écrit des poèmes satiriques contre le Régent, il est incarcéré à la Bastille.	Destouches : l'Envieux. Crébillon père : Sémiramis.	Voyage du tsar Pierre le Grand à Paris. Rapprochement franco-anglais.
1718	Première tragédie : Œdipe.	Traduction française de Mérope, de l'Italien Maffei.	Mort de Charles XII, roi de Suède. La banque de Law devient banque royale.
1723	La Ligue, poème épique. Reçoit une pension du Régent, puis du roi.	Marivaux : la Double Inconstance. J.-B. Rousseau : Odes. Saint-Simon commence la rédaction de ses Mémoires.	Mort du cardinal Dubois (août) et du Régent (décembre).
1726	Suites de la querelle avec le chevalier de Rohan; seconde incarcération. Départ pour l'Angleterre (mai).	Rollin : Traité des études. Ouverture du salon de Mᵐᵉ de Tencin.	Fleury, Premier ministre. Politique pacifique de la France.
1728	La Henriade, version remaniée de la Ligue. Retour en France.	J.-J. Rousseau à Turin. Marivaux : la Seconde Surprise de l'amour.	Avènement de George II en Grande-Bretagne.
1730	Brutus, tragédie.	Marivaux : le Jeu de l'amour et du hasard. Succès des peintres Lancret et Boucher, du musicien F. Couperin.	Début du ministère Walpole en Angleterre. Avènement d'Anna Ivanovna en Russie.
1731	Histoire de Charles XII.	Abbé Prévost : Manon Lescaut. Mort de Daniel Defoe.	Dupleix, gouverneur de Chandernagor.

1732	Zaïre. Initiation à la mathématique, de Newton.	Marivaux : les Serments indiscrets. Destouches : le Glorieux. Abbé Pluche : Spectacle de la nature.	Difficultés diplomatiques, qui vont provoquer la guerre de Succession de Pologne.
1734	Les Lettres philosophiques, publiées et condamnées. Départ pour Cirey chez Mme du Châtelet.	Montesquieu : Considérations sur les causes de la grandeur des Romains et de leur décadence. J.-S. Bach : Oratorio de Noël.	Opérations militaires de la guerre de Succession de Pologne. Victoires françaises à Parme et à Guastalla.
1735	La Mort de César, tragédie.	La Chaussée : le Préjugé à la mode. Marivaux : le Paysan parvenu (roman). Mesure du méridien par La Condamine.	Guerre russo-turque.
1736	L'Enfant prodigue, comédie. Le Mondain.	Le Sage : le Bachelier de Salamanque. Premier séjour de J.-J. Rousseau aux Charmettes chez Mme de Warens.	
1738	Discours en vers sur l'homme.	Deuxième séjour de Rousseau aux Charmettes. Fondation de la manufacture de porcelaine de Vincennes (transférée à Sèvres).	Traité de Vienne, qui conclut la guerre de Succession de Pologne.
1740	Premier voyage à Berlin. Zulime, tragédie.	Marivaux : l'Épreuve. Richardson : Pamela.	Avènement de Frédéric II en Prusse; avènement de l'impératrice Marie-Thérèse. Invasion de la Silésie par Frédéric II.
1742	Mahomet ou le Fanatisme, tragédie.	Arrivée de J.-J. Rousseau à Paris. Abbé Prévost : traduction de Pamela, de Richardson.	Traité de Berlin entre la Prusse et l'Autriche : annexion de la Silésie par Frédéric II.
1743	Mérope, tragédie.	J.-J. Rousseau à Venise.	Mort de Fleury. 2ᵉ pacte de Famille.
1745	Rentrée en grâce. Nommé historiographe du roi. Le Poème de Fontenoy.	Montesquieu : Dialogue de Sylla et d'Eucrate.	Guerre de Succession d'Autriche : victoire française à Fontenoy (11 mai).
1746	Elu à l'Académie française.	Diderot : Pensées philosophiques. Condillac : Essai sur l'origine des connaissances humaines.	Prise de Bruxelles par les Français. Mort de Philippe V d'Espagne. Prise de Madras par La Bourdonnais.
1747	Disgrâce; séjour à Sceaux. Zadig, conte.	Découverte du principe du paratonnerre par Franklin. Fondation de l'École des ponts et chaussées de Paris par Trudaine. Mort de Lesage.	

VOLTAIRE ET SON TEMPS DE 1749 À 1778

	la vie et l'œuvre de Voltaire	le mouvement intellectuel et artistique	les événements historiques
1749	Mort de Mme du Châtelet. Retour à Paris.	Diderot : Lettre sur les aveugles; emprisonnement à Vincennes. Buffon : Histoire naturelle (t. I, III); sa Théorie de la terre condamnée par la Sorbonne.	Création de l'impôt du vingtième en France.
1750	Départ pour la Prusse (28 juin).	J.-J. Rousseau : Discours sur les sciences et les arts.	Dupleix obtient le protectorat de Carnatic.
1751	Le Siècle de Louis XIV.	Premier volume de l'Encyclopédie. Polémiques autour du Discours sur les sciences et les arts.	Kaunitz est nommé chancelier d'Autriche; il pratiquera une politique de rapprochement avec la France.
1752	Micromégas.	Première condamnation de l'Encyclopédie. Construction de la place Stanislas à Nancy.	Affaire des billets de confession. Exil et rappel du parlement de Paris.
1753	Brouille avec Frédéric II. Départ de Berlin (mars).	J.-J. Rousseau : le Devin de village. Réception de Buffon à l'Académie française (Discours sur le style).	Tremblement de terre de Lisbonne. Premiers actes d'hostilité de la flotte anglaise contre les bateaux français.
1755	Installation aux Délices, sur le territoire de Genève.	J.-J. Rousseau : Discours sur l'inégalité; polémique sur ce discours. Morelly : le Code de la nature. Klopstock : le Messie. Mort de Montesquieu.	Début de la guerre de Sept Ans : prise de Minorque par les Français. Montcalm au Canada.
1756	Poème sur le désastre de Lisbonne. Essai sur les mœurs et l'esprit des nations.	J.-J. Rousseau s'installe à l'Ermitage; Lettre à Voltaire sur la Providence (18 août).	Choiseul, secrétaire d'État aux Affaires étrangères. Les Russes s'emparent de la Prusse orientale.
1758	Achat de la propriété de Ferney.	Diderot : Discours sur la poésie dramatique. Helvétius : De l'esprit. J.-J. Rousseau : Lettre sur les spectacles. Quesnay : Tableau économique.	
1759	Candide. Relation de la maladie du jésuite Berthier.	Diderot : premier « Salon ». Deuxième condamnation de l'Encyclopédie. Traduction des Saisons, de Thomson. Fondation du British Museum.	Capitulation de Québec; mort de Montcalm.

1760	L'Écossaise, comédie. Tancrède, tragédie. Installation définitive à Ferney.	Palissot : la Comédie des philosophes. Diderot : la Religieuse.	Occupation de Berlin par les Austro-Russes. Occupation de Montréal par les Anglais.
1762	Premiers écrits de Voltaire pour réhabiliter Calas, exécuté en mars.	J.-J. Rousseau : Du contrat social; Émile; condamnation de cet ouvrage par le parlement et l'Église. Gluck : Orphée.	Avènement de Catherine II de Russie; proclamation de la neutralité russe.
1763	Traité sur la tolérance.	Mably : Entretiens de Phocion sur le rapport de la morale avec la politique. Polémique à propos de l'Émile. Mort de Marivaux.	Traités de Paris et d'Hubertsbourg, qui concluent la guerre de Sept Ans.
1764	Dictionnaire philosophique portatif. Édition du théâtre de Corneille. Jeannot et Colin, conte.	J.-J. Rousseau : Lettres écrites de la montagne. Soufflot commence la construction du Panthéon.	Suppression de l'ordre des Jésuites en France. Mort de Mᵐᵉ de Pompadour.
1766	Relation de la mort du chevalier de La Barre.	J.-J. Rousseau en Angleterre. Turgot : Réflexions sur la formation et la distribution des richesses.	Rattachement de la Lorraine à la France. Voyage de Bougainville dans les mers australes.
1767	L'Ingénu, conte.	Beaumarchais : Eugénie, drame bourgeois, avec préface contre la tragédie classique. Expérience de Watt sur la machine à vapeur.	
1768	La Princesse de Babylone et l'Homme aux quarante écus, contes.	J.-J. Rousseau en Dauphiné. Carmontelle : premiers Proverbes dramatiques. Quesnay : la Physiocratie.	Achat de la Corse. Premier voyage de Cook dans les mers australes.
1772	Épître à Horace.	Ducis : Roméo et Juliette, tragédie d'après Shakespeare.	Premier partage de la Pologne. Deuxième voyage de Cook.
1778	Retour à Paris. Représentation d'Irène. Mort le 30 mai.	Mort de J.-J. Rousseau (2 juillet). Diderot : Essai sur les règnes de Claude et de Néron. Buffon : les Époques de la nature.	Alliance entre la France et les États-Unis d'Amérique. Création d'une assemblée provinciale en Berry. Mort du premier Pitt.

BIBLIOGRAPHIE SOMMAIRE

OUVRAGES GÉNÉRAUX SUR VOLTAIRE

Gustave Lanson — *Voltaire* (Paris, Hachette, 1906).

Raymond Naves — *Voltaire, l'homme et l'œuvre* (Paris, Boivin-Hatier, 1942). — *Le Goût de Voltaire* (Paris, Garnier, 1938).

René Pomeau — *Voltaire par lui-même* (Paris, Éd. du Seuil, 1955). — *La Religion de Voltaire* (Paris, Nizet, 1956). — *Politique de Voltaire* (Paris, A. Colin, 1963).

Jean Orieux — *Voltaire ou la Royauté de l'esprit* (Paris, Flammarion, 1966).

Marie-Margareth H. Bart — *Quarante Ans d'études voltairiennes. Bibliographie* (Paris, A. Colin, 1968).

SUR LES TRAGÉDIES DE VOLTAIRE

Henri Lion — *les Tragédies et les Théories dramatiques de Voltaire* (Paris, Hachette, 1895).

Gustave Lanson — *Esquisse d'une histoire de la tragédie française*, pages 128-154 (Paris, Champion, 1954).

Jacques Morel — *la Tragédie*, pages 73-75 (Paris, Colin, 1964).

SUR « ZAÏRE »

M. Fontaine — *« Zaïre »*, édition critique (Paris, Leroux, 1889).

SUR LA LANGUE DE VOLTAIRE

Gaston Cayrou — *le Français classique* (Paris, Didier, 1948).

Jean Dubois, René Lagane et Alain Lerond — *Dictionnaire du français classique* (Paris, Larousse, 1971).

Voltaire : *Correspondance* (notes de l'édition définitive établie par Théodore Besterman, trad. fr. par Frédéric Deloffre, Paris, Éd. Gallimard, coll. « la Pléiade », 8 vol. parus, 1983).

ZAÏRE
1732

NOTICE

CE QUI SE PASSAIT VERS 1732

■ *EN POLITIQUE. A l'intérieur* : la persistance de la paix pendant le ministère du cardinal Fleury favorise la reprise de l'activité économique. Déclaration royale imposant au clergé la bulle Unigenitus. Depuis 1717, la colonisation se développe en Louisiane; aux Indes, Dupleix est gouverneur de Chandernagor. En 1731, l'empereur Charles VI fait reconnaître par l'Empire sa pragmatique sanction. Mort d'Auguste II, Electeur de Saxe, roi de Pologne. Début de la guerre de Succession de Pologne. Louis XV soutient son beau-père, Stanislas Leszczyński. En octobre 1733, la guerre est déclarée à l'Empereur. Chauvelin négocie une double alliance avec le duc de Savoie, roi de Sardaigne, et avec le roi d'Espagne. Dès octobre 1735, Fleury, craignant l'intervention de l'Angleterre, négocie secrètement avec Charles VI et conclut avec lui des préliminaires de paix qui seront transformés, après trois ans de négociation, en paix définitive par le traité de Vienne.

A l'extérieur. En Angleterre : Walpole, comme Fleury, est favorable à la paix; la prédication de Wesley, fondateur, en 1731, de l'Eglise méthodiste, commence à endiguer une vague d'irréligion. — Persécutions de l'Empereur contre les protestants de Hongrie et de Salzbourg. — L'accord franco-espagnol de 1729 favorise l'essor des deux peuples. — En Russie : règne d'Anna la sanglante.

■ *EN LITTÉRATURE. En France* : Montesquieu revient d'Angleterre, se fixe au château de La Brède (1731) et commence la rédaction de ses Mémoires. Jean-Jacques Rousseau, de retour de Paris (1731), réside à Chambéry auprès de Mme de Warens, où il enseigne la musique. Crébillon vient d'entrer à l'Académie française (1731). Mort de Houdar de La Motte (1731). Voltaire publie l'Histoire de Charles XII (1731) et donne au théâtre Eriphyle (1732), qui est un échec. Marivaux entreprend la publication de la Vie de Marianne, fait jouer le Triomphe de l'amour et les Serments indiscrets au Théâtre-Italien ainsi que l'Ecole des mères au Théâtre-Français (1732). L'abbé Prévost fait paraître à Amsterdam le tome VII des Mémoires d'un homme de qualité (1731), qui contient Manon Lescaut. Un an plus tard, il publie en Angleterre l'Histoire de M. Cleveland et fonde bientôt son périodique le Pour et le Contre (1733). Destouches donne au théâtre le Glorieux (1732), et Nivelle de La Chaussée la Fausse Antipathie (1733). Lesage *publie Guzman d'Alfarache (1732) et prépare le tome IV de Gil Blas de Santillane. Naissance de Beaumarchais (17 janvier 1732). Mort de la marquise de Lambert (1733), célèbre par son salon.*

A l'étranger. *En Angleterre : mort de Daniel Defoe, auteur de Robinson Crusoé (1731); Pope publie son Essai sur l'homme (1733). — En Suisse : Haller publie son poème les Alpes (1729). — En Allemagne : Gottsched fait paraître son Essai d'une poésie critique (1730); naissance de Wieland (1733). — En Russie : parution de la Méthode de la nouvelle versification russe de Trediakovski.*

■ **DANS LES SCIENCES** : *Buffon, de retour d'Angleterre, prépare ses premiers travaux scientifiques (1732). Réaumur invente le thermomètre (1732). Maupertuis publie ses Commentaires sur les principes de Newton (1732). Parution de l'Exposition anatomique de la structure du corps humain de Winslow (1732).*

■ **DANS LES ARTS. En architecture** : *Gabriel reconstruit le château de Compiègne et des bâtiments dans la cour du Louvre. — **En sculpture** : Coustou sculpte les trophées et les enfants de bronze qui ornent la statue de Louis XIV, place des Victoires. Il meurt en 1733. — **En peinture** : Lancret, disciple de Watteau, continue à peindre des fêtes galantes. Débuts de Boucher : de retour à Rome, il peint Vénus commandant à Vulcain des armes pour Enée (1731). Chardin, maître dans le genre familier, vient d'être reçu à l'Académie des beaux-arts. Portraits de Nattier. Pastels de Quentin de La Tour. Naissance de Fragonard (1732). — **En musique** : à Londres, Haendel compose ses derniers opéras (1731). Pergolèse écrit la Servante maîtresse (1731). Représentation de Jephté, opéra de Pellegrin. Cette œuvre sera, à Paris, l'occasion d'une grande querelle entre partisans de la musique italienne et partisans de la musique française (1733). Mort de François Couperin (1733).*

REPRÉSENTATIONS DE « ZAÏRE »

La première représentation de Zaïre eut lieu à la Comédie-Française le 13 août 1732. Voltaire n'en éprouva aucune satisfaction. Il en fut même fâché. Selon la lettre qu'il écrivit à Formont[1] en manière d'excuse, les acteurs jouaient mal et le parterre était tumultueux; les endroits de mauvais style, qui n'étaient pas rares, furent impitoyablement relevés par le jeu déplaisant des acteurs, de telle sorte que « tout l'intérêt était détruit ». En fait, Voltaire se calomnie. Selon les témoignages contemporains, ce fut un demi-succès. Si le parterre s'agita, si les acteurs ne furent pas excellents, on vit les loges pleurer au deuxième acte. D'ailleurs, la recette fut belle : 3 060 livres.

Voltaire revit son texte et en ôta, petit à petit, les défauts. Le succès de

---

1. Vers le 12 septembre 1732 (datation de T. Besterman dans *Correspondance de Voltaire*, tome I [Paris, 1963]).

Zaïre ne fit que grandir. Du 13 au 28 août, la pièce fut représentée dix fois. La salle était comble. « On s'y étouffe », écrit Marais dans son *Journal*[2]. L'expression n'est pas exagérée : 10 210 personnes avaient payé le droit d'entrer. *Inès de Castro*, tragédie d'Houdar de La Motte, le succès du moment, avait eu 9 317 spectateurs[3]. Voltaire, dans sa correspondance, ne cessa de faire la comparaison entre les deux pièces[4]. La quatrième représentation fut la plus merveilleuse. Les acteurs et le public étaient parfaits. On témoigna de l'amitié au dramaturge, on le fêta. Quand celui-ci parut à sa loge, le parterre lui battit des mains. « Il est doux de n'être pas honni dans son pays », écrit Voltaire, ému, à Cideville[5].

La pièce fut remise à l'affiche le 10 novembre de la même année et jouée trente et une fois jusqu'au 11 janvier 1733[6]. Le 15 janvier, elle fut représentée en privé chez Mme de Fontaine Martel, en présence de Mme de La Rivaudaye. Voltaire joua le rôle du vieux Lusignan. Chacun fut touché au vif de son cœur, et Voltaire vit les yeux des dames s'emplir de larmes[7]. La pièce fut rejouée en novembre 1737[8] et reprise pour une série de représentations en août 1740.

La Comédie-Italienne s'était fait une spécialité de parodier les succès du jour. *Inès de Castro* avait eu son heure; celle de *Zaïre* vint. Le 4 décembre 1732, Augustin Nadal fit donner un *Arlequin au Parnasse*, et, le 9 décembre 1732, Biancolelli, Romagnesi et Riccoboni *les Enfants trouvés*. Ceux-ci faisaient leur métier, celui-là se vengeait de n'avoir pu rivaliser victorieusement avec Voltaire dans *Marianne*. Les deux facéties n'occupèrent pas longtemps le devant de la scène. « Elles sont tombées l'une et l'autre, écrit Voltaire à Formont le 15 décembre 1732, mais leur humiliation ne me donne pas grand amour-propre, car les Italiens pourraient être de fort mauvais plaisants sans que *Zaïre* en fût meilleure. » Jean-Baptiste Rousseau critiquera le christianisme sermonneur de la pièce dans *le Glaneur*, l'abbé Prévost des défauts de construction dans son périodique *le Pour et le Contre*[9], Marais l'agencement de l'intrigue, Collé la fadeur de l'ensemble. Mais le fait que M. de Vessaire, en réalité Benoît-Michel de Camberousse, puisse encore écrire en 1783 une parodie intitulée *Caquire* et que cette parodie soit jouée avec profit à Lyon la même année témoigne de l'immense succès remporté par la pièce et de sa persistante jeunesse[10].

L'enthousiasme ne se limita pas à la France. En Angleterre, *Zaïre* fut d'abord jouée en privé, par sympathie pour l'auteur. Voltaire se soucia beaucoup du succès de sa tragédie dans le pays qui l'avait accueilli du temps de son exil. Il s'en ouvrit, jour après jour, à Thieriot[11]. Enfin, la version de M. Hill le rassura et le contenta pleinement : « Comment! Des Anglais

---

2. Mathieu Marais, *Journal et mémoires sur la Régence et le règne de Louis XV, 1715-1732*, tome IV (Paris, 1868); **3.** *Registres* de la Comédie-Française. Cité par M. Besterman; **4.** Lettre à M. de Cideville et à M. de Formont du 25 août 1732; **5.** Le 25 août 1732; **6.** D'après les *Registres*. Cité par M. Besterman; **7.** Lettre à M. de Cideville du 27 janvier 1733; **8.** Lettre à Mlle Quinault du 2 janvier 1738; **9.** Lettre (à destinataire inconnu), écrite vers le 3 août 1738; **10.** Note 4, page 1367 de l'édition de la *Correspondance de Voltaire* citée; **11.** Lettre à Thieriot du 20 mars 1736.

tendres et naturels[12]! » Ce fut elle que les Anglais virent sur la scène du théâtre de Drury-Lane. Comble de bonheur, une jeune femme, qui n'avait jamais joué la comédie, Mlle Cibber, fit la meilleure interprétation du personnage de Zaïre. La tentative « fut un coup de maître », affirme Lessing[13]. La chance sembla faire le tour de l'Europe. La pièce fut goûtée des Italiens, qui en donnèrent sept traductions du vivant de Voltaire. Elle contenta les Allemands lors de la représentation de 1767 et ne déplut pas aux Hollandais. Mais les uns et les autres taillèrent à leur gré dans l'œuvre originale. Lessing rapporte qu'un critique dramatique hollandais, Frédéric Druim, ne trouva pas la pièce vraisemblable ni morale. Il la refit donc sur un plan de son invention (1745). Les traducteurs italiens se contentèrent souvent de la paraphrase, omirent les passages qui leur semblaient hostiles à la religion, les remplacèrent ou même changèrent l'action, tel le comte Gozzi (1758), qui trouva la fin de Zaïre vraiment trop courte : dans son esprit, nourri du mythe oriental, un Turc ne pouvait mourir si calmement. Alors, il corrigea l'erreur et fit geindre, gémir, hurler de désespoir Orosmane moribond[14].

En France, la carrière de Zaïre fut longue : la Comédie-Française représenta la pièce près de cinq cents fois de 1732 à 1936. Depuis, celle-ci ne fut plus jouée.

ANALYSE DE LA PIÈCE
(Les scènes principales sont indiquées en caractères gras entre parenthèses.)

■ *ACTE PREMIER.* Le retour de Nérestan.

Dans une salle du sérail de Jérusalem, Zaïre et Fatime, esclaves des Sarrasins, s'entretiennent. Zaïre ne connaît rien de sa famille ni d'elle-même. Elle sait seulement qu'elle dut naître chrétienne, comme le lui laisse supposer une croix qu'elle porte encore. Contrairement à Fatime, née chrétienne et mise au sérail à l'âge de dix ans, elle accepte joyeusement sa destinée depuis qu'elle se sait aimée de son maître, le jeune Orosmane, soudan de Jérusalem (**scène première**). Celui-ci paraît. Par amour, et contrairement à la coutume musulmane, il promet à Zaïre de la choisir comme unique épouse. Il demande, en retour, d'être aimé d'un égal amour (**scène II**).

Nérestan, un prisonnier chrétien, était parti jadis, sur parole, chercher en France la rançon destinée à racheter Zaïre, Fatime et dix chevaliers. Le voici de retour. Il apporte avec lui ce qu'il faut pour payer la liberté des captifs, hormis la sienne. Orosmane, devant tant de courage, lui rend cent chevaliers au lieu de dix. Mais il fait entendre que Lusignan, descendant des rois de Jérusalem, est voué à la prison perpétuelle et que Zaïre n'est pas faite pour être rachetée. Nérestan paraît accablé. Il regarde Zaïre d'un air attristé.

---

12. Voir « Seconde Épître dédicatoire », page 55 ; 13. Lessing, *Dramaturgie de Hambourg*, « Seizième Soirée » (19 juin 1767) ; 14. Lessing, *Dramaturgie de Hambourg*, « Seizième Soirée » (19 juin 1767).

Un sentiment de jalousie, réprimé par la générosité du caractère, naît dans l'âme d'Orosmane (scène IV).

■ *ACTE II.* Zaïre se déclare chrétienne.

Nérestan apprend à Châtillon le sort réservé à Lusignan. Les chevaliers chrétiens ne se résoudront pas à accepter une liberté qu'on refuse à leur maître. Châtillon propose d'utiliser l'influence de Zaïre sur le soudan (scène première). Celle-ci arrive : elle a, de son propre chef, sollicité et obtenu d'Orosmane la liberté de Lusignan.

Lusignan paraît, ébloui de la lumière, affaibli par vingt années de prison, et rappelle son passé de malheur. Il apprend que Nérestan et Zaïre furent élevés ensemble dans le sérail, comme ses deux enfants enlevés lors de la prise de Césarée. Il aperçoit la croix de Zaïre. La ressemblance des traits, l'âge, les circonstances, la cicatrice d'une blessure reçue par Nérestan, tout confirme à Lusignan qu'il est encore père. La joie du vieil homme éclate, aussitôt remplacée par l'angoisse. Sa fille, élevée par les musulmans, est-elle encore chrétienne? Zaïre avoue que non. Alors, lui rappelant son passé, lui montrant les lieux de la Passion, animé de désespoir et de zèle, le vieillard l'adjure de se déclarer chrétienne. Zaïre se jette à ses pieds et le promet (scène III). A ce moment, un officier du sérail, Corasmin, vient, par ordre du soudan, séparer Zaïre de son père et de son frère, et arrête tous les chevaliers français. En hâte, Lusignan fait jurer à Zaïre de garder le secret sur ce qui s'est passé entre eux.

■ *ACTE III.* Le secret de Zaïre.

La flotte de Saint Louis était partie de Chypre, et Orosmane avait craint un moment pour les côtes de Syrie. Un second courrier ayant apporté la nouvelle du départ de Saint Louis pour l'Egypte, le soudan est rassuré. Revenu à la clémence, il révoque ses ordres et autorise même un entretien secret entre Nérestan et Zaïre. Nérestan apprend à Zaïre que son père expire, partagé entre la joie d'avoir retrouvé ses enfants et l'amertume d'ignorer si elle est devenue chrétienne. Il lui demande de jurer qu'elle se fera baptiser. Vaincue, elle jure qu'elle sera chrétienne et qu'elle n'épousera pas Orosmane. Ce jour même, elle recevra le baptême en présence de son frère, qui amènera un prêtre (scène IV).

Restée seule, Zaïre gémit sur sa douleur. Orosmane, rempli d'amour, vient la chercher pour la conduire à la mosquée. Partagée entre son Dieu, sa famille et son amour, Zaïre cède à la douleur et s'enfuit (scène VI).

Orosmane demeure dans la plus cruelle perplexité. Corasmin essaie d'éveiller sa jalousie. La générosité, l'orgueil empêchent le soudan de céder à la passion. Il décide d'oublier la jeune fille, de rétablir les anciens usages et ordonne de fermer le sérail (scène VII).

■ *ACTE IV.* La jalousie d'Orosmane.

Zaïre est désespérée, mais son serment l'empêche de parler (scène première). Orosmane entre et, dans une scène pathétique, s'efforce en vain d'éclaircir l'attitude de la jeune fille. En larmes, celle-ci ne peut que réaffirmer son amour. Elle demande un délai d'un jour avant de se confier (**scène II**). Après le départ de Zaïre, Orosmane cherche une explication à l'attitude de son amante, quand on vient lui remettre un billet, preuve de son infortune : Zaïre y est appelée par Nérestan à un rendez-vous mystérieux. Au comble de la fureur, Orosmane veut d'abord faire poignarder Zaïre, puis il décide de la voir et de lui parler. Pour juger l'honnêteté de la jeune fille, il ne lui présentera pas le billet, mais le lui fera remettre, après l'entretien, par un esclave sûr (**scène V**). Zaïre répond aux questions d'Orosmane par des protestations indignées de fidélité. Contraignant sa pudeur, elle lui avoue son amour. En fureur, Orosmane la congédie (**scène VI**). Convaincu de la seule culpabilité de Nérestan, Orosmane donne ses ordres : si le soir, Nérestan se présente aux abords du sérail, qu'on l'enchaîne, mais qu'on laisse Zaïre en liberté.

■ *ACTE V.* **La tuerie.**

Le billet est remis à Zaïre, qui le lit en tremblant. Sur les instances de Fatime, Zaïre décide de répondre à l'appel de Nérestan. Orosmane, prévenu, attend dans les ténèbres, seul ou avec Corasmin, en proie à une jalousie furieuse. A la voix de Zaïre, il s'émeut et renonce à son projet. La jeune fille approche, appelle Nérestan. A ce nom, Orosmane retrouve soudain sa rage et poignarde celle qu'il aime (**scène IX**).

On amène Nérestan enchaîné. Comme premier supplice, Orosmane veut lui faire contempler le cadavre de son amante. Nérestan crie la vérité : Zaïre est sa sœur et Dieu l'a punie d'avoir aimé Orosmane. Orosmane croit sortir d'un songe funeste. Il retrouve un calme apparent, donne l'ordre de délivrer les chrétiens, de les renvoyer chez eux, comblés de largesses. Il rend hommage à l'innocence de Zaïre, qu'il adorait. Il donne le corps de la jeune fille à Nérestan pour que celui-ci le ramène en France, puis il se tue en expiation de son crime (**scène X**).

SOURCES ET GENÈSE

Zaïre, au sens strict du terme, n'a pas de sources. Mais Voltaire avait une telle connaissance du théâtre grec, en particulier celui de Sophocle, du théâtre classique — il savait Racine par cœur —, du théâtre anglais — il loua le génie de Shakespeare — et si peu le don de l'invention théâtrale qu'on trouve dans *Zaïre* les réminiscences et les influences les plus variées.

Le théâtre classique a profondément marqué Voltaire. Dans *Zaïre,* les formules, les expressions, les hémistiches ou même les vers entiers qui sont de Racine, plus rarement de Corneille, ne forment pas l'exception[15]. L'influence,

---

15. On pourra par exemple comparer *Andromaque,* vers 19, 1415-1416, et *Zaïre,* vers 861, 1077-1078, 1137 ; *Athalie,* vers 954, et *Zaïre,* vers 928 ; *Britannicus,* vers 142-143, 369, 682, 1161, et *Zaïre,* vers 369, 441, 992, 1287-1288 ; *le Cid,* vers 857-858, 1705-1706, et *Zaïre,* vers 394 ; *Cinna,* vers 1696, et *Zaïre,* vers 176 ; *Horace,* vers 192, 712, 1688-1689, et *Zaïre,* vers 904, 1065, 1681-1682 ; *Iphigénie,* vers 359, 393, 756, 889, 949-950, 1312, et *Zaïre,* vers 218, 295-296, 596, 632, 864, 972-973, 976-977 ; *Mithridate,* vers 32, 245-246, et *Zaïre,* vers 69, 1303-1304 ; *Phèdre,* vers 179-180, 1252, et *Zaïre,* vers 1511-1512, 1538.

cependant, ne reste pas superficielle. Elle s'affirme sur le plan de l'idéologie de la pièce, qui est un mélange des idéologies de Racine et de
Corneille. Tout se passe comme si la tragédie du XVIIIᵉ siècle, demeurée
classique par artifice, comme hors de l'histoire, ne pouvait exprimer dans
une forme inchangée que l'idéologie de cette forme. C'est à ce niveau, nous
semble-t-il, que l'influence des grands classiques est la plus remarquable.

La conception de l'amour, infrastructure de l'œuvre, est à la fois celle de
Racine et celle de Corneille. L'amour repose sur un « je-ne-sais-quoi »
inexplicable, et il ne peut pas être heureux parce que la séparation,
physique ou spirituelle, des amants constitue le lot même de la vie. Or,
comme chez Racine, il ne survit pas sans le support du regard, sans la
présence de la réalité corporelle. Une étude du thème du regard dans
l'œuvre donnerait d'intéressantes indications : les yeux y apparaissent
comme le lieu privilégié où l'amour se dérobe, où il naît, où il meurt[16]. Mais
la passion, si elle est peinte extérieurement sous des aspects raciniens, si le
corps n'obéit plus à l'esprit soudain emporté hors de son lieu, n'est pas
aliénation totale. A l'image de la conception racinienne, amour, haine et
cruauté sont parents, mais l'amoureux ne s'abandonne jamais entre des
mains étrangères. Comme chez Corneille, l'amour est aussi révélation de
l'être à lui-même et découverte incessante de dimensions toujours plus
profondes au-dedans de soi[17]. On a l'impression d'entendre les voix des
héros classiques parler tour à tour pour former un chœur qui n'est pas sans
charme, mais dont l'amalgame ne convient pas toujours. Phèdre a donné ses
couleurs à la jalousie d'Orosmane : passion douloureuse et furieuse, exas-
pérée par la clairvoyance et l'imagination, et qui prend sa force dans
l'orgueil[18]. Lorsque le soudan, au comble du désespoir, attend, caché dans
l'ombre de la nuit, la venue de l'infidèle, son exaltation, qui atteint par
instants à l'hallucination, fait songer à la fin d'*Andromaque* et, au-delà, à
celle de l'*Electre* de Sophocle[19]. L'amour désintéressé de Zaïre pour Orosmane est bien dans le goût romanesque du temps et rappelle aussi les
déclarations de Pauline et celles de Bérénice[20]; mais il s'y mêle pourtant
une admiration pour la puissance, la gloire, l'honneur, la vertu de l'amant
qui trouve son écho dans la morale cornélienne[21].

D'autre part, dès l'Avertissement, Voltaire rappelle à notre mémoire
Polyeucte. Les deux pièces sont fort éloignées l'une de l'autre, mais, à
l'époque où Voltaire écrivait les *Lettres philosophiques*, *Polyeucte* donna à
celui-ci l'idée de mêler dans une pièce amour et foi. On ne peut guère aller
plus loin dans les rapprochements, car, à la différence de Pauline, l'amour
humain n'est pas chez Zaïre le révélateur de l'amour divin. Il n'y a pas dans
la pièce de Voltaire cette ascension ralentie vers Dieu, ce lent éblouissement
de la grâce qui fait la beauté de la tragédie de Corneille. En fait, nous le

---

16. Voir l'Index des thèmes ; 17. Voir l'Index des thèmes *(Amour)* et Orientations de
recherche *(Orosmane)*; 18. Comparer en particulier *Phèdre*, IV, VI, et *Zaïre*, V, VIII. On peut
également songer au personnage de Pyrrhus et à celui de Mithridate amoureux, lui aussi,
d'une jeune fille qu'il tient en son pouvoir ; 19. *Zaïre*, V, VII, VIII; 20. *Bérénice*, vers 159-160 ;
21. Voir l'Index des thèmes *(Amour)* et Orientations de recherche *(Zaïre)*. On pourra se
souvenir encore du personnage de Monime.

verrons, Zaïre est déchirée entre un passé qu'elle ne peut assumer et un présent qui est tout son être. Pourtant, par endroits, les personnages empruntent le langage de *Polyeucte*. La délibération déchirante de Zaïre, qui s'élève, un instant, jusqu'à la prière[22], rappelle les stances de Polyeucte[23] et, plus encore, les interrogations de Pauline[24].

L'atmosphère de cruauté qui règne sur la pièce, et à laquelle le mythe oriental n'est pas étranger, doit aussi quelque chose à Corneille. Dans cette optique, la scène VI de l'acte III de *Zaïre*, où s'annoncent les préparatifs inutiles de l'hymen, serait à comparer avec la scène III de l'acte V de *Rodogune*. Le personnage de Corasmin lui-même tient davantage aux « âmes de boue » du théâtre de Corneille qu'au Iago d'*Othello*, avec lequel il présente peu de points communs. Une comparaison avec le personnage de Photin, de *la Mort de Pompée*, serait instructive.

Ce n'est pas dire qu'*Othello* n'a eu aucune influence sur *Zaïre*. Voltaire lui doit sans doute l'affabulation de l'œuvre : le meurtre d'une femme aimée par un amant jaloux, qu'un concours de circonstances a induit en erreur. L'interrogatoire de Desdémone par Othello a son pendant dans *Zaïre*[25]; l'angoisse, les regrets, le suicide des deux amants peuvent se comparer. Zaïre a quelques points communs avec l'héroïne d'*Othello*, la grâce, la fierté, la pudeur, l'intelligence; mais les deux jeunes filles ne sont pas dans la même situation. Shakespeare peut concentrer l'intérêt de la pièce sur la destruction de l'amour, alors que celui-ci demeure inchangé chez Zaïre, simplement parce que, pour elle, « demain », tout sera éclairci. Othello et Zaïre, plus proches par la situation, ont des ressemblances. Par contre, il paraît difficile de rapprocher Iago et Corasmin. Celui-ci suit l'action, celui-là dirige. Le premier est un démon, le second un être vil. Enfin, *Othello* n'a, contrairement à *Jules César*, *Antoine et Cléopâtre*, *Lear*, nulle dimension historique. Or, c'est précisément celle-ci que Voltaire voulut introduire dans son œuvre.

L'influence de Sophocle se fait sentir au niveau plus profond du sens de la destinée des personnages. Le destin semble non seulement être tout puissant mais se rire des hommes, les faisant œuvrer pour le contraire de ce qu'ils croient atteindre et les conduisant vers une direction opposée à celle qu'ils pensent prendre[26]. L'ironie tragique donne sa couleur particulière à la pièce : Zaïre se croit enfin heureuse, alors que commencent ses malheurs[27]; Lusignan retrouve, après vingt années, sa fille, mais elle n'est plus chrétienne[28]; Orosmane interprète à contresens les réactions de Zaïre[29]; les termes du billet laissent entendre le contraire de ce qu'ils disent[30]; le soudan prend la sœur de Nérestan pour l'amante de celui-ci et tue celle qu'il aime[31].

---

22. *Zaïre*, III, v; 23. *Polyeucte*, IV, ii; 24. *Polyeucte*, II, i; 25. *Zaïre*, IV, vi; 26. Le caractère profondément « ironique » de la destinée humaine se retrouvera dans *Babouc* et *Zadig*, mais, en 1734, il ne semble pas que ce soit déjà sous l'influence de Leibniz que se forme cette conception. Voir J. Van den Heuvel, « l'Evolution de Voltaire et la véritable solution leibnizienne », dans *Voltaire dans ses Contes*, pages 161-165 (Paris, 1967); 27. *Zaïre*, I, ii; 28. *Zaïre*, II, iii; 29. *Zaïre*, III, vi; 30. *Zaïre*, IV, v; 31. *Zaïre*, V, ix.

Aucune de ces influences multiples n'explique la couleur orientale de l'œuvre. Peut-être faut-il la chercher dans les circonstances. L'orientalisme, alors, était à la mode. La présence, aux portes de l'Europe chrétienne, des fidèles de Mahomet posait des questions, attirait les regards. Bossuet avait préféré en parler à peine dans son *Discours sur l'histoire universelle*[32]. Mais des voyageurs et des diplomates rendirent visite aux Orientaux; Galland alimenta le mythe naissant en traduisant les contes des *Mille et Une Nuits*; Montesquieu fit la célébrité de ces Persans questionneurs et fortement ingénus[33]. Les Européens s'interrogeaient sur ce monde redécouvert et qui semblait si bizarrement installé dans une philosophie, une morale, une liberté qui n'étaient pas les leurs. Voltaire, à son tour, prit conscience du problème en travaillant à l'*Histoire de Charles XII*[34]. L'impétueux roi de Suède l'emmena loin. Notre écrivain dut se documenter sur les mœurs turques[35] : l'« esprit » de la nation, à ce moment, était tel que la comparaison avec la civilisation occidentale s'imposa à lui. De cette confrontation obligée serait née l'idée d'une tragédie « turco-chrétienne » où les religions musulmane et chrétienne se rencontreraient sur la scène[36]. Le spectateur comparerait ou plutôt, puisque comparaison n'est pas raison, s'interrogerait. La sagesse, *Zadig* nous l'enseignera, commence par le doute sur soi-même.

Enfin, dernier point dans cette genèse, Voltaire supporta mal la défaveur qui avait accueilli *Eriphyle*. Il voulait plaire. Il fit de son mieux. Le « mélange nouveau des plumets et des turbans » ferait son effet[37], et, cette fois, il n'hésiterait pas à mettre de l'amour, pour être agréé des dames[38], de la religion, qui plairait à tous, à condition d'être « pathétique[39] ». Son échec lui avait enseigné qu'il fallait, avant tout, remuer le cœur des hommes : « *Eriphyle* est mieux écrite que *Zaïre*, mais tous les ornements, tout l'esprit et toute la force de la poésie ne valent pas ce qu'on dit d'un trait de sentiment[40]. »

En somme, les sources de *Zaïre* sont variées et diffuses. Elles ressortissent, pour la plupart, plus à la culture qu'au strict domaine des « sources ». *Zaïre* est avant tout une œuvre d'imagination qui doit beaucoup aux circonstances.

LE THÉÂTRE DE VOLTAIRE. PRINCIPES[41]

Voltaire était un grand admirateur du théâtre classique. Il en goûtait, mieux que personne, les beautés et les délicatesses. L'estime ne mit pas en défaut

---

32. Chapitre xxx. Voir la réponse que fit Voltaire dans son *Dialogue sur l'histoire universelle de Bossuet entre un savant et un Chinois* (XIX, page 267 de l'édition Moland); 33. Voir R. Pomeau, *la Religion de Voltaire*, pages 146-147, et M. L. Dufrenoy, *l'Orient romanesque en France* (1704-1789), pages 145-232; 34. Voir J. Van den Heuvel, *op. cit.*, pages 38-50; 35. Voir Documentation thématique; 36. Voir R. Pomeau, *op. cit.*, page 146, et les lettres citées par le critique; 37. Lettre à M. de Formont vers le 12 septembre 1732 (datation de M. Besterman); 38. Lettre à M. de Formont du 29 mai 1732. Voir les Jugements, page 168; 39. Cité par R. Pomeau, *op. cit.*, page 146; 40. Lettre à M. de Cideville et à M. de Formont du 25 août 1732; 41. Voir G. Lanson, *Esquisse d'une histoire de la tragédie* (Paris, 1906), et R. Naves, *le Goût de Voltaire* (Paris, 1938).

son esprit critique. Voltaire trouvait que la faiblesse de Racine était de n'être pas assez tragique. Dans son *Discours sur la tragédie*, il compare *Bérénice* à une « idylle », à une « églogue », à une « très belle paraphrase de Sapho », mais il ne la compte pas au rang des tragédies. En général, il trouve les pièces françaises lentes, un peu froides et, pour tout dire, trop raisonnables. L'élégance, celle d'un Racine, qualité éminemment française, a son importance dans le poème dramatique, mais elle ne saurait en être la part essentielle. Voltaire, pour étayer sa conception, remonte à la source grecque de la tragédie, et en particulier à Sophocle. Il rappelle que le tragique repose sur la terreur et la pitié. Il rappelle que le spectateur doit « frémir » et « pleurer[42] ». En fait, les Français manquent, Saint-Evremond l'avait déjà signalé, de « tragédies tragiques[43] ». Voltaire pose bien le problème; nous verrons plus loin les solutions qu'il propose. En attendant, relevons les obstacles qu'il voit à l'épanouissement d'une véritable tragédie française. Ce sont le larmoyant et la galanterie.

Le larmoyant est dangereux en ce qu'il procure au spectateur une émotion superficielle qui peut donner le change. Voltaire, à la limite, accepte le larmoyant dans la comédie à condition que le comique conserve ses droits et que le pathétique demeure léger et rapide. Le danger est que le rire s'efface : on aboutit alors à la « tragédie bourgeoise », dégradation de la tragédie. Dans l'article « Comédie » du *Dictionnaire philosophique*, Voltaire distingue bien les genres : la comédie est réservée à la « peinture naïve et plaisante des mœurs »; la tragédie trouve son unité dans le « péril ». Comme le remarque R. Naves[44], Voltaire n'a cependant pas méconnu l'importance de cette innovation. Il a blâmé le larmoyant sans comique, qui aboutira, un siècle plus tard, à la pièce à thèse et au mélodrame. Mais il a encouragé le comique larmoyant qui aboutira à Beaumarchais et à Musset, et dont il donna lui-même l'exemple dans *les Originaux* et dans *Nanine*.

La galanterie présente un danger encore plus grand pour le tragique : elle est, proprement, l'amour « sans péril ». Or, par lui-même, l'amour n'est pas une passion tragique : « Antiochus épousera-t-il Bérénice? Bien des gens répondent : que m'importe[45]? » Il ne peut avoir son rôle dans une tragédie qu'à condition d'y occuper la première place; l'action même lui sera subordonnée; en un mot, l'amour deviendra tragique : « Chimène fera-t-elle couler le sang du Cid? Qui l'emportera d'elle ou de Don Diègue? Tous les esprits sont en suspens, tous les cœurs sont émus[46]. » On reconnaît ici l'intention de *Zaïre*. Voltaire reproche à Corneille l'amour « insipide » de ses pièces; il fait cependant trois exceptions : Chimène, Camille et Pauline[47]. Partout ailleurs, il ne relève que de « petites coquetteries sans passion », déplacées au milieu de grands sentiments tragiques[48]. Racine lui-

42. Voir le « Discours sur la tragédie », en tête de *Brutus* (1731), et la lettre à Chabanon du 5 mai 1768, citée par R. Naves, *op. cit.*; 43. Lettre à Saint-Lambert de novembre 1760, citée par R. Naves, *op. cit.*; 44. R. Naves, *op. cit.*, page 270; 45. *Théâtre de Pierre Corneille, avec des commentaires* (1764); 46. R. Naves, *op. cit.*, page 271; 47. Lettre à Voisenon du 28 février 1763, citée par R. Naves, *op. cit.*, page 271; 48. « Épître à M. le marquis Scipion Maffei », en tête de *Mérope*.

même, dans sa *Thébaïde* et son *Alexandre*, sacrifia à la mode. Plus tard, Crébillon suivra le même chemin dans *Electre*, *Sémiramis* et *Atrée*. Quant à Campistron, Longepierre, La Foffe, La Grange-Chancel, ils faisaient de l'« amour doucereux » leur unique matière. Voltaire ne fut pas le premier à protester. Fontenelle, dans ses *Réflexions sur la poétique*[49], Fénelon, dans ses *Lettres à l'Académie*[50], et l'abbé Dubos, dans ses *Réflexions sur la poésie et la peinture*[51], avaient déjà critiqué cette faiblesse de l'époque.

Qu'est donc le vrai tragique pour Voltaire? Il propose des modèles : Sophocle, Shakespeare, Racine. Dans le théâtre du premier, il admire, en particulier dans *Œdipe* et *Electre*, les situations frappantes et terribles. Chez le deuxième, il aime à la fois le renouvellement constant de l'intérêt, l'absence de ces « scènes de pure conversation » qui ralentissent le mouvement d'ensemble et les pensées sublimes qui jaillissent à tout moment[52]. Racine a parfois succombé à la tentation de la galanterie, mais il a également su mettre en scène « cet amour passionné, furieux, terrible qui entre si bien dans la vraie tragédie » et dont *Phèdre* offre l'exemple accompli[53]. Corneille, avec *Polyeucte*, est parvenu à la même réussite. Mais Voltaire place au-dessus de tout l'*Athalie* de Racine, la première tragédie « qui ait intéressé sans amour » et « peut-être le chef-d'œuvre de l'esprit humain[54] ». Il eut toute sa vie l'esprit fixé sur cette perfection, et notamment au moment de la composition d'*Eriphyle*. Il pense, après son échec, que la réussite est unique, qu'elle ne peut servir de modèle, mais qu'elle doit être un exemple. L'esprit de notre nation, en ces temps, n'est pas disposé à se passer de galanterie. Voltaire écrira donc *Zaïre*.

Quelles seraient alors les conditions d'une tragédie parfaite? Le larmoyant n'y aura pas sa place, l'amour sera « tragique » ou, mieux, ne sera pas, les sentiments seront de « terreur » et de « pitié », la situation sera frappante et terrible, l'intérêt continuellement renouvelé. Mais la tragédie, pour être parfaite, demande encore « l'exactitude, la correction, l'élégance continue[55] », et la poésie du style. Ces dernières qualités sont le propre du génie français. Mais on voit combien ces exigences diverses sont difficiles à concilier. Le tragique peut faire oublier l'élégance, et l'élégance risque d'affadir le tragique. Nous verrons plus loin comment, sur le plan du goût, Voltaire parvient à résoudre ces difficultés. Pour l'instant, examinons la place qu'occupe *Zaïre* dans l'œuvre théâtrale de Voltaire, telle que celui-ci a voulu la réaliser à partir d'une réflexion critique sur les conditions d'existence de la tragédie.

PLACE DE « ZAÏRE » DANS LE THÉÂTRE DE VOLTAIRE

On peut, en se plaçant sur le plan des innovations dramaturgiques et non

---

49. Ouvrage écrit vers 1695 et publié en 1742; **50.** 1716, chapitres VI et VII; **51.** Ouvrage daté de 1719; **52.** *Dictionnaire philosophique*, article « Art dramatique »; R. Naves, *op. cit.*, page 275; **53.** *Théâtre de Pierre Corneille, avec des commentaires* (1764); **54.** *Discours historique et critique à l'occasion de la tragédie des « Guèbres »* (1769), cité par R. Naves, *op. cit.*; **55.** Lettre à Marmontel du 13 février 1748. Sur tous ces problèmes, voir R. Naves, *op. cit.*, pages 170-180.

sur celui des « influences », partager la production de Voltaire en deux périodes séparées par la date de 1745[56].

Ce n'est pas dans ce qu'on a appelé la période de l'imitation shakespearienne (1730-1742) que l'influence anglaise est la plus marquée. *Brutus* (1730), *Ériphyle* (1732), *Zaïre* (1732), *la Mort de César* (1734), *Alzire ou les Américains*[57] (1736), *Mahomet*[58] (1741) ont des indications de décor et un mouvement qui rappellent la liberté du théâtre anglais. Mais la « coutume[59] », les habitudes des spectateurs français empêchent Voltaire d'innover absolument. *Ériphyle*, *la Mort de César* sont, en fait, des adaptations classiques d'œuvres de Shakespeare. Quant à *Zaïre*, nous avons vu ce qu'elle emprunte au dramaturge anglais. On ressent l'influence anglaise dans certaines parties de l'intrigue, dans certains traits de caractère, mais le tout est fondu dans une idéologie classique qui empêche un véritable renouvellement. Comme dans *Brutus*, l'auteur ne se risque même pas à commettre un meurtre sur la scène.

La véritable ambition de Voltaire, comme l'a souligné R. Naves, ne fut pas la tragédie à l'anglaise, mais la tragédie sans amour. Dès sa première tragédie, *Œdipe* (1718), Voltaire posa le problème de la galanterie dans les sujets austères. Mais il dut, déjà, céder à la mode en y introduisant quelques souvenirs d'amour de Philoctète afin de se faire pardonner l' « insipidité » de Jocaste et d'Œdipe[60]. *Ériphyle* connut le sort que l'on sait. Et Voltaire est chagriné que le succès de *Zaïre* soit dû à ce qu'il condamne[61]. La joie qu'il a de l'approbation tant recherchée ne l empêche pas de juger sévèrement sa pièce : « Je vous avoue, écrit-il à Villette le 4 octobre 1767, que j'aime mieux une scène de César que toute cette intrigue d'amour que je filais il y a trente-cinq ans [...]. Le parterre de Paris et les loges [...] donnent la préférence à ma quinauderie. » Il reproche aux pièces à base d'amour leur monotonie. Sa *Zulime* (1740) lui fait presque honte : tout n'y est qu'amour; il a « brodé les vieux habits de Roxane, d'Athalie, de Chimène, de Callirhoé[62] »; il n'est pas satisfait de lui-même et « demande pardon à la raison[63] ».

La tragédie sans amour se présente sous deux formes principales : le type « athénien » et le type « historique ». Le premier, représenté par *Œdipe* (1718) et *Mérope* (1743), se caractérise par la recherche du « grand pathétique », qui naît de la souffrance et de la plainte, et du « tragique », manifestation, dans un cas douloureux, de la faiblesse humaine et de la puissance du destin. On retrouve cette influence, atténuée par la galanterie, dans *Zaïre*, où l'expression de l'ironie tragique, héritée de Sophocle, redonne au destin toute sa puissance, permet de mesurer la fragilité dérisoire de la volonté humaine et rend « pathétique » la souffrance de Zaïre et d'Orosmane[64].

---

56. Voir G. Lanson, *op. cit.*, pages 138-145 et R. Naves, *op. cit.*, pages 459-465; **57.** Influence de l'*Oroonoko* de Southerne et de *Tamerlan* de Rowe; **58.** Influence du *Marchand de Londres* de Lillo; **59.** « Discours sur la tragédie », en tête de *Brutus*; **60.** Lettre à d'Olivet du 20 août 1761; **61.** Voir *Jugements*, page 169; **62.** Lettre à d'Argental du 12 mars 1740; **63.** Lettre à d'Argental du 8 novembre 1757; **64.** Voir Index des thèmes (*Destin*) et Orientations de recherche (*Ironie tragique*).

Après 1745, R. Naves[65] a montré que Voltaire a davantage le souci du spectacle et des « mœurs plus fortes » et plus simples à la fois. *Sémiramis* (1748) est la première pièce à grand spectacle et à changements de décor[66]; dans *Tancrède* (1760) on verra figurer la chevalerie, et dans *Olympie* (1762) un bûcher[67]. Pour les mœurs, Voltaire essaie de retrouver l'atmosphère de « terreur » que Sophocle et Shakespeare, dans *Hamlet*, lui avaient révélée. On reconnaît cette double influence dans des pièces comme *Sémiramis* et *Oreste* (1750). Dans *Tancrède*, Voltaire voulut peindre les mœurs étonnantes des héros « dont la politesse n'était pas la nôtre et qui avaient plus de casques que de chemises[68] ». Plus tard, il aimera représenter dans *les Scythes* (1767) ou dans *les Guèbres* (1769) des personnages dont la simplicité et la rudesse contrastent avec les mœurs contemporaines.

On peut noter que certaines de ces tentatives sont en germe dans *Zaïre*. Le lieu de l'action, la Palestine, l'époque, celle des croisades, permettent au dramaturge de représenter des mœurs plus fortes, dont il fait ressortir la singularité en les confrontant sans cesse aux mœurs françaises. Les mœurs d'Orosmane se distinguent de celles des autres musulmans non seulement par la vertu de l'amour, mais aussi par celle du pays qui a vu naître ses aïeux. Voltaire attribue à l'ascendance scythe de son héros sa simplicité et une certaine rudesse[69].

Quant à ce climat de « terreur », surtout emprunté à *Hamlet*, il avait tenté de le retrouver dès *Brutus* et *Eriphyle*. Le même effort, atténué pour des raisons d'opportunité, est sensible dans *Zaïre*. Au dernier acte, la « terreur » atteint à une telle intensité que la solution criminelle, qui met fin à la tension dramatique, est accueillie avec soulagement. Rien n'est plus tragique.

Pourtant Voltaire a moins innové qu'il aurait pu. Il sentit le besoin de changement, traça les voies, mais son éducation classique, sa crainte de déplaire l'arrêtèrent en chemin[70]. Lorsqu'il écrivit *Oreste*, il s'interrogea sur les réactions du public. Quel effet fera la représentation d'un parricide ? Quelques années plus tard, Voltaire regretta de s'être sans cesse soucié des lecteurs et des spectateurs durant la réalisation de *l'Orphelin de la Chine* (1755) Il sait ce qu'il aurait dû faire : « Je suis très affligé de ne m'être pas livré à tout ce qu'un tel sujet pouvait me fournir. [...] J'aurais dû peindre, avec des traits plus caractérisés, la fierté sauvage des Tartares et la morale des Chinois. Il fallait que tout fût neuf et hardi, que rien ne se ressentît de ces misérables bienséances françaises. [...] J'aurais peut-être accoutumé la nation à voir [...] des mœurs plus fortes que les siennes[71] [...]. » Et pourtant il ne l'a pas fait. Voltaire ne se souciait pas de la mode, qui n'aurait pas permis de telles innovations, et lui-même souhaitait que les « bienséances »

65. R. Naves, *op. cit.*, pages 462-465; **66.** Voir *Sémiramis*, édition critique par J.-J. Olivier (Paris, 1946); **67.** Voir les lettres à d'Argental du 18 juin 1759, à Mlle Clairon du 16 octobre 1760, à Lekain du 16 décembre 1760, qui concernent la mise en scène; **68.** Lettre à Mme d'Argental du 18 juin 1759; **69.** *Zaïre*, III, 1; **70.** Voir « Discours », en tête de *Sémiramis*, pages 78 et suiv. et 152 et suiv. (1748); **71.** Lettre à d'Argental du 17 septembre 1755.

vinssent tempérer l'énergie et l'action dans la tragédie. Il se méfiait et par avance dénonçait l'invasion de la barbarie sur la scène, qui, à son tour, allait devenir une mode.

On le voit, le théâtre de Voltaire a d'abord un intérêt critique. R. Naves a insisté sur cet aspect. Si on compare le théâtre de Voltaire à celui de Racine, le premier a partie perdue. Si on le considère sur le plan de la réussite dramatique, les beaux passages, les scènes intéressantes ne peuvent faire oublier l'ensemble. Par contre, si on en examine l'intérêt critique, l'unité de l'œuvre et son importance apparaissent. Chaque pièce représente une expérience différente. Dans Œdipe (1718), Voltaire cherche un renou-vellement du côté de Sophocle, dans Brutus (1730), Eriphyle (1732) et la Mort de César (1743) du côté de Shakespeare, dans Alzire ou les Américains (1734) et Mahomet (1741) du côté du théâtre moderne anglais. Et l'on pourrait suivre ainsi tout au long sa production. Avec Zaïre, Voltaire tente de concilier « terreur » shakespearienne et galanterie, et, en même temps, il essaie d'introduire une dimension historique à l'œuvre, comme il le fera pesamment, deux années plus tard, dans Adélaïde Du Guesclin. Le théâtre de Voltaire se comprend mieux si on l'étudie non comme une œuvre poé-tique, mais comme un profond travail de recherche.

LA TRAGÉDIE ET LE GOÛT DE VOLTAIRE

R. Naves a montré que les exigences théoriques de Voltaire, qui semblent parfois contradictoires, reposent en fait sur une conception permanente du goût[72]. En ce qui concerne la tragédie, Voltaire revient sans cesse au cours de sa vie sur les idées de naturel, de noblesse et de pathétique.

Le premier principe que tout auteur doit respecter est celui du naturel. Le mot a, chez Voltaire, le sens classique d'imitation de la « nature », dans les limites de la bienséance[73]. La nature permettra d'éviter la monotonie que Voltaire reproche au théâtre français : « Tous les personnages doivent avoir la même noblesse d'âme, ils doivent être bien élevés, bien élégants, bien compassés; la nature n'est pas faite ainsi[74]. » C'est au nom même de ce naturel que Voltaire se permet et recommande les innovations. Ainsi pourra-t-on représenter « les plus viles conditions et les plus élevées et employer dans les pièces des mots tels que toison, glèbe, gazons, mousse, feuillage [...] qui seraient ridicules dans une autre tragédie[75] ». Les « bien-séances », auxquelles Voltaire donne le sens très large de « tout ce qui est convenable », permettront d'éviter les excès de la « nature » qu'il relève dans le théâtre anglais[76].

Dans la « Seconde Epître dédicatoire » de Zaïre, Voltaire étudie les rapports entre ces deux notions à propos de la traduction de Bérénice par

---

72. Voir R. Naves, op. cit., et J. Van den Heuvel, op. cit., pages 15-16, pour les notions d'usage, de bienséance, d'art de plaire, de tempéré, de simplicité; **73.** Lettre à Thieriot du 19 décembre 1766; **74.** Lettre à d'Argental du 21 octobre 1760; **75.** Lettre à Thieriot du 19 décembre 1766; ces lettres sont citées par R. Naves, op. cit.; **76.** Voir « Seconde Epître dédicatoire », page 56.

Dryden. La version anglaise est peut-être « naturelle »; elle n'est certainement pas bienséante. Par contre, la traduction de *Zaïre*, fait unique jusqu'à
ce jour, est « naturelle » et bienséante. Le traducteur est parvenu à rendre
la simplicité, la vérité et la naïveté de l'original. Ces considérations permettent à Voltaire de préciser ce qu'il attend du « naturel ». Ce dernier doit se
trouver non seulement au niveau de la peinture des caractères, des mœurs,
des sentiments, mais aussi à celui du style. Et Voltaire remarque, à propos
du célèbre « Zaïre, vous pleurez[77]! », que l'expression n'a pas valeur en
elle-même, mais par rapport au contexte qui la rend « naturelle » ou pas. Il
y a en effet un « ton » d'ensemble approprié à chaque genre littéraire.

Voltaire remarque que le « ton » distingue souvent les œuvres entre elles
plus que le sujet. Hormis le dénouement, *Phèdre* ou *Britannicus* présentent
des intrigues qui pourraient servir à des comédies si le ton noble n'orientait
pas l'œuvre dans le sens de la tragédie. Le ton « naturel » de la tragédie
est bien, en effet, la noblesse. La réussite est difficile. Il faut éviter à la fois
la bassesse et l'enflure. L'article *Figuré* du *Dictionnaire philosophique*
affirme que la « simplicité noble » convient à la tragédie, où « le dialogue
doit être aussi naturel que relevé ». La familiarité, la « naïveté », pour être
tragique, sera éloquente. Dans ses *Commentaires sur le théâtre de Pierre
Corneille* (1764), Voltaire regrette que le grand classique ne se soit pas
toujours conformé à cette règle du goût. L'auteur n'en est pas responsable,
mais, toujours, le public, l' « esprit de la nation ». On admirait alors « ce
naturel qui approche du bas parce qu'on ne connaissait pas celui qui
touche au sublime ». Par contre, la réussite de Racine fut complète. Celui-ci
a su être « véritablement sublime sans aucune enflure[78] ». Voltaire propose
comme modèle de la noblesse tragique *Iphigénie*. Il n'a pas oublié *Athalie*,
qui surpasse toute œuvre humaine; il l'admire pour son sujet sans amour et
le spectacle, mais il trouve qu'*Iphigénie*, pour la noblesse du style et la
poésie, est plus classique. Quant à lui, il s'est efforcé, dans *Zaïre*, d'être
« noble » et « naturel ». Afin de conformer le style au sujet, il a « détendu
les cordes de sa lyre et répandu la noblesse et la facilité[79] »; les vers
amoureux y ont quelque chose de doux, de coulant, qui convient à l expression du sentiment; dans la première tirade de Lusignan, la tension du style
et la dislocation du rythme traduisent « naturellement » l'émotion du vieillard; les mots font effet par leur simplicité naturelle et vraie; les maximes
s'enferment avec rigueur dans des vers concis. Mais ce « naturel » n'a pas,
pour le soutenir, la « noblesse » qui conviendrait. Ou, pour mieux dire, il y a
disjonction entre les deux exigences esthétiques. Alors que Voltaire parvient
à atteindre la « nature » dans la conception de l'ensemble, la « noblesse »
propre à la tragédie reste factice, artificielle, quelque peu « enflée ».
Elle semble superposée à l'œuvre, quand elle devrait en être la matière
même. Sur le plan du langage, Voltaire n'est pas parvenu à se détacher de
la langue de la tragédie classique. Il n'a pas opposé un langage
nouveau à une « noblesse » éternelle. Cela pourrait expliquer la distorsion

---

77. Vers 1154; 78. Lettre à Soumarokof du 26 février 1769, citée par R. Naves, *op. cit.*;
79. Lettre à Brossette du 15 décembre 1732.

inquiétante que l'on ressent entre le « naturel » profond de l'œuvre et la « noblesse » défunte, réduite au niveau de superstructure vide, faite de mots, de périphrases et d'épithètes empruntés. On est toujours dans le domaine de l' « équivalent » linguistique et non dans celui de la création.

On retrouve les mêmes tendances dans la conception voltairienne du pathétique[80]. Voltaire pense lier l'œuvre et le spectateur par l'émotion et la sympathie. La première sera provoquée par la terreur, la seconde par la vision d'une réalité pathétique. Ces idées sont une interprétation des deux données capitales d'Aristote : la terreur et la pitié. La terreur suscitera l'idée du crime, la pitié celle de vertu. Le crime, sous l'influence de la tragédie grecque, se manifestera par les remords du coupable ou l'appréhension de la victime. Mais Voltaire parvient difficilement à intégrer la terreur dans le schéma dramatique en développant un caractère ou en rendant présente une fatalité. Là encore, l'idéologie s'arrête au plan du langage, caractérisé dans ce cas par la grandiloquence du vocabulaire. *Brutus*, *Sémiramis* et *Oreste* en offrent les exemples les plus remarquables. *Zaïre* échappe en partie à ce défaut grâce à la place que tient la morale de la générosité et de la maîtrise, qui contient les tentations de l'emphase. La terreur ne s'installe qu'au cinquième acte. Elle est provoquée par les moyens les plus simples : la victime n'éprouve pas d'appréhension, le remords du coupable s'achève rapidement par son suicide; mais le destin, qui, plus que Dieu, tenait dans sa main chaque personnage depuis le début de la pièce[81], prend la forme du crime involontaire, dans un climat d'ironie tragique favorable à sa complète expression[82]. *Zaïre* est, sur ce plan, une réussite. On ne peut reprocher à cette œuvre, comme on l'a fait pour *Oreste*, le manque de sincérité. Le nom de Crébillon, cette fois, ne vient pas sur les lèvres.

La sympathie du spectateur sera sollicitée par la vision d'une réalité pathétique. Voltaire est en plein accord avec le goût du siècle. Le larmoyant, qu'il combattait dans son expression amoureuse, trouve peut-être dans l'idée de vertu, génératrice de pitié et d'attendrissement, son expression préférée : « On trouvera dans tous mes écrits, souligne l'écrivain dans le « Discours préliminaire » à *Alzire* (1736), cette humanité qui doit être le premier caractère d'un être pensant; on y verra, si j'ose m'exprimer ainsi, le désir du bonheur des hommes, la haine de l'oppression et de l'injustice. » Les critiques modernes ont relevé ce caractère; certains y ont vu une qualité qui rachèterait les faiblesses de l'intrigue, la confusion de l'action, les maladresses du style. R. Naves a montré que ce « pathétique par sympathie » était, en fait, la cause profonde de l'échec de Voltaire au théâtre. Nous avons trouvé d'autres raisons à cet échec, mais il n'est pas niable que cette volonté de « moraliser », souci éminemment « critique », contribue à figer le théâtre de Voltaire.

La tragédie édifiante aboutira, en se diversifiant au drame philosophique, avec *Mahomet*, et au drame purement moral, avec *Olympie*, les

---

80. R. Naves, *op. cit.*, pages 479 et suiv.; 81. Voir Index des thèmes (*Destin*); 82. Voir Orientations de recherche (*Ironie tragique*).

Scythes, les Guèbres et *les Lois de Minos. Zaïre* participe des deux courants : elle est à la fois un instrument de propagande au service d'une philosophie et la mise en scène de la vertu persécutée par le destin mauvais[83].

L'ART DE LA DÉCLAMATION[84]

Les principes du goût, « naturel », « noblesse », ne peuvent se voir réaliser au théâtre qu'à condition que la déclamation leur soit accordée. Voltaire portait la plus grande attention à la façon dont les acteurs jouaient ses pièces. Il les conseille et annote leurs rôles[85]. Deux idées le guident dans ses jugements : le naturel et la noblesse. Son exigence du naturel est une réaction contre l'ancienne école de déclamation, dont la diction chantée, qui avait fait la gloire de Mlle Champmeslé, était devenue ridicule avec Mlle Duclos[86], qui déclamait « des vers ampoulés, avec une impétuosité qui est au beau naturel ce que les convulsions sont à l'égard d'une démarche noble et aisée[87] ». Ce fut Mlle Lecouvreur qui corrigea ce défaut. Mlle Cibber suivit son exemple dans l'interprétation qu'elle fit du rôle de Zaïre sur la scène du théâtre de Drury-Lane. Le « naturel » de l'actrice française manquait un peu de vigueur; celle-ci n'avait pas ces « coups de force qui imposent et qui arrachent, pour ainsi dire, l'admiration des connaisseurs[88] ». Mlle Clairon avait le même défaut. Malgré les ménagements dus à une actrice célèbre, Voltaire regrettera son « récitatif mesuré », qui oubliait trop « les emportements de la nature, qui se peignent par un mot, par une attitude, par un silence, par un cri qui échappe à la douleur[89] ». L'excès contraire, qui consiste en une affectation de familiarité, est plus dangereux, car il aboutit à une confusion des genres. La familiarité ne convient qu'au comique. La noblesse ou le « grand pathétique » est l'apanage de la tragédie. Sur ce plan, Voltaire se montrera satisfait de l'interprétation que Mlle Gaussin fera de Zaïre et Dufresne d'Orosmane. Dans *Mérope*, Mlle Dumesnil l'enchantera et Lekain, qu'il a formé lui-même, ne le décevra jamais. Le critique Jean-Jacques Olivier, suivant la tradition, rapporte que Voltaire se serait laissé convaincre vers la fin de sa vie par la diction mêlée de familiarité qu'avait inauguré Mlle Clairon. R. Naves a montré que la vérité est autre. Sur le point de la diction comme sur celui du goût, dont le premier dépend, l'opinion de Voltaire n'a guère varié : « naturel », « simplicité » et « noblesse » restèrent les principes auxquels il rattacha toutes ses remarques sur la déclamation tragique.

Voltaire a, toute sa vie, insisté sur l'importance de la diction pour l'avenir même de la tragédie. Comment le « ton » de l'œuvre serait-il sensible si les acteurs ne savent pas le rendre? « Très peu [d'acteurs], écrit-il dans la Préface des *Scythes*, savent distinguer le familier du naturel. D'ailleurs la misérable habitude de débiter des vers comme de la prose, de méconnaître

83. Voir, plus bas, « le christianisme dans *Zaïre* »; **84.** Voir, sur cette question, R. Naves, *op. cit.*, pages 280 et suiv., et Jean-Jacques Olivier, *Voltaire et les comédiens interprètes de son théâtre* (Paris, 1900); **85.** Lettre à Mlle Clairon de janvier 1750. R. Naves, *op. cit.*, pages 275 et suiv.; **86.** Voir l'article « Chant » du *Dictionnaire philosophique*; **87.** « Seconde Épître dédicatoire à M. Falkener », page 56; **88.** Nicolas-V. Boindain, *Lettres historiques sur tous les spectacles de Paris, op. cit.*, page 280; **89.** *Ibid.*

le rythme et l'harmonie a presque anéanti l'art de la déclamation[90]. » Le grand principe, écrit-il dans son *Epître à Mlle Clairon* en 1765, est que « le naturel de la tragédie doit toujours se ressentir de la grandeur du sujet, et ne s'avilir jamais par la familiarité[91] ». Mais cette tonalité générale doit être adaptée selon les sujets. Elle varie d'un passage à l'autre à l'intérieur d'une même pièce : « Il y a des sujets de peinture sublimes, il y en a de simples. [...] Raphaël a peint les horreurs de la mort et les noces de *Psyché*. » En somme, Voltaire souhaite dans la déclamation la constance du naturel noble, modulée au gré des morceaux de l'œuvre, à la façon d'une partition musicale.

Voltaire acteur, au dire de Marmontel[92], récitait « simplement, noblement, sans aucune manière ». Le témoin note cependant que, dans les vers épiques, l'écrivain « se laissait aller à une emphase [...] trop monotone, à une cadence trop marquée[93] ». L'attitude s'explique par le fait que Voltaire considérait cette forme de poésie comme la plus élevée; elle s'explique aussi comme une réaction poétique contre la géométrie desséchante du siècle : « Notre siècle, recommandable par d'autres endroits, est le siècle de la sécheresse[94]. » Les critiques du temps ne le comprirent pas toujours. L'auteur de l'article du *Journal de la Cour et de Paris*[95] concernant *Zaïre* trouve que Voltaire jouait le rôle de Lusignan avec une « vivacité qui tenait de la frénésie ». Le siècle, là encore, n'était pas prêt à comprendre toutes les innovations que proposait Voltaire.

L'ACTION ET LE SPECTACLE[96]

Les moyens délicats du naturel et de la noblesse ne parvinrent pas à séduire une époque caractérisée, selon Voltaire, par la sécheresse. Peut-être est-ce une des raisons pour lesquelles le dramaturge s'attacha au spectacle et à l'action, moyens plus grossiers, mais plus efficaces pour toucher l'esprit et surtout le cœur. R. Naves écrit à ce propos : « Le jeu des acteurs, les mouvements, le décor deviennent nécessaires et primordiaux lorsque la noblesse disparaît, car la noblesse se suffisait à elle-même. » Le même danger que précédemment guette les innovateurs : l'excès, qu'il soit de sobriété ou d'intempérance. A l'époque de *Zaïre* et jusqu'en 1760, Voltaire soulignera surtout l'excès par sobriété du théâtre français : « Ce qu'on pouvait reprocher à la scène française était le manque d'action et d'appareil Les tragédies étaient souvent de longues conversations en cinq actes[97]. » Pour éviter l un et l autre excès, il marque nettement, dès 1730, les liens qui unissent le spectacle et le style : « Plus on veut frapper les yeux par un appareil éclatant, plus on s'impose la nécessité de dire de grandes choses; autrement on ne serait qu'un décorateur, et non un poète tragique[98]. » Ainsi s'explique la perfection d'*Athalie*, où le grand spectacle est

90. Cité par R. Naves, *op. cit.*; **91.** *Ibid.*; **92.** J.-F. Marmontel, *Mémoires*; **93.** *Ibid.*; **94.** Voir l'article « Chant » du *Dictionnaire philosophique*; **95.** Voir Documentation thématique, « Voltaire acteur dans *Zaïre* »; **96.** Voir sur cette question G. Lanson, *op. cit.*, pages 165-174, et R. Naves, *op. cit.*, pages 285 et suiv.; **97.** Lettre à M. le comte de Lauraguais, dédicace de *l'Ecossaise*, et Préface de 1760, cité par R. Naves; **98.** Cité par R. Naves, *op. cit.*

sans cesse soutenu par le pathétique du style[99]. Sans la poésie, le spectacle perd son sens et devient ridicule, car « il est plus difficile de bien écrire que de mettre sur le théâtre des assassinats, des roues, des potences, des sorciers et des revenants ». C'est en quoi le théâtre anglais, s'il peut être une incitation au renouvellement, ne convient pas comme modèle[100]. Dans ses *Commentaires sur le théâtre de Pierre Corneille* (1764), Voltaire se moque des exécutions, des assassinats, des meurtres, des enterrements, des couronnements qu'on voit sur la scène anglaise : « Il n'y manque plus que des combats de taureaux. » L'apparition du vieux Lusignan à la scène III de l'acte II est spectaculaire et d'un bel effet, mais elle ne prend sa valeur qu'en fonction de la noblesse du discours que prononce le vieillard. La scène pourrait aisément devenir ridicule, comme l'avait noté le critique du *Journal de la Cour et de Paris*. Par contre, le meurtre de Zaïre n'est pas montré sur la scène; Voltaire avait essayé en 1725, c'est-à-dire avant son voyage en Angleterre, de présenter la mort de Mariamne au théâtre, mais le public protesta, et le dramaturge dut renoncer, non sans regret[101].

Zaïre marquerait donc un léger recul par rapport aux tentatives faites dans *Mariamne*, en partie sous l'influence du public, encore mal préparé à ces nouveautés. Voltaire regretta sans doute de devoir mettre en récit tant de belles actions et se priver des spectacles qui eussent été si vivants. L'ouvrage y gagna en sobriété. L'action est construite avec rigueur : l'amour domine dans le premier acte, la religion dans le deuxième; la crise se noue au troisième, atteint son paroxysme dans le suivant et se dénoue au dernier. D'autre part elle est rapide et même mouvementée à la fin. La psychologie des personnages intervient moins dans son déroulement que dans les faits. Mais ceux-ci ne sont pas artificiels et illustrent tous la toute-puissance du destin, qui donne à cette pièce son vrai caractère de tragédie et sa teinte sophocléenne : les rapports de force entre les êtres, certaines de leurs réactions, de leurs attitudes se trouvent justifiés par l'histoire[102], ressentie comme une sorte de fatalité; la croix de Zaïre est comme le symbole permanent du poids du passé, qui laisse sa marque, plus ou moins profonde, chez tous les personnages.

Après *Zaïre*, ces tendances se confirmeront. En 1760, la libération de la scène des spectateurs permettra encore à Voltaire quelques audaces. Il cherchera à en tirer le meilleur parti possible. R. Naves signale qu'il reprendra d'anciens sujets en se plaisant à les imaginer avec les libertés que donnent les nouvelles possibilités de mise en scène. Voltaire insistera davantage sur la décoration et les accessoires, qui pourront désormais trouver leur intérêt en eux-mêmes et contribuer à préparer le climat dramatique. Ainsi en est-il du début de *Triumvirat* où le rideau se lève sur une « scène obscurcie »; on entend le tonnerre; on voit des éclairs; la scène découvre des rochers, des précipices[103]. On sait à quoi de telles recherches

---

99. Voir le « Discours sur la tragédie », en tête de *Brutus* (1730); 100. M. Bellessort note que Voltaire avait déjà le goût de l'action avant d'aller en Angleterre; 101. Voir la Préface de *Mariamne* (1725) et celle de *Brutus* (1732); 102. Voir Notice, « *Zaïre* et l'histoire »; 103. Cité par R. Naves, *op. cit.*

peuvent aboutir chez des auteurs dont l'enthousiasme ne serait pas tempéré par le goût. Voltaire, à la fin de sa vie, se sentira un peu responsable des abus de ses imitateurs : « Hélas! j'ai hâté moi-même la décadence en introduisant l'action et l'appareil. Les pantomimes l'emportent aujourd'hui sur la raison et sur la poésie[101]. » Mais il demeurera ferme dans ses principes : la cause de ces excès est la rupture de l'équilibre esthétique entre l'appareil, l'intérêt dramatique et la beauté du style. Les modèles de réussite restent le cinquième acte de *Rodogune* et *Athalie*. Selon une belle formule citée par R. Naves, la tragédie, pour Voltaire, doit « parler à la fois aux yeux, aux oreilles et à l'âme[105] ».

A travers sa conception de l'action et du spectacle, Voltaire apparaît comme un chercheur, curieux d'expérimenter les multiples possibilités de renouvellement qui s'offrent à lui. *Zaïre*, située au début d'une longue carrière, présente à l'analyse des nouveautés, des tentatives, des essais, où le goût, toujours, veut contrôler l'esprit d'invention.

LES CARACTÈRES[106]

Les personnages du théâtre de Voltaire présentent certaines constantes. Presque tous sont sensibles : rares sont ceux qui ne désarment pas devant la vertu persécutée. Cette qualité est à la base de la majorité des grandes scènes de Voltaire : les êtres les plus mauvais parviennent toujours, ne serait-ce qu'un instant, à comprendre leur partenaire[107].

Cette sensibilité trouve son sens et son expansion dans la générosité qui anime la plupart des personnages. Celle-ci, qui rappelle Corneille, est une qualité aristocratique, aristocratie de cœur plus que de sang, dont les personnages sont conscients et fiers. Elle constitue le fond permanent de leur caractère, à quoi ils se réfèrent pour demeurer eux-mêmes ou pour se retrouver.

Au-delà de ces constances, on peut distinguer plusieurs catégories de personnages, caractérisés par certaines qualités particulières, que l'on retrouve, de pièce en pièce, nuancées au gré de l'action[108].

Zaïre ressortit au type de la femme vertueuse qui n'aime pas son amant ou l'aime sans que celui-ci la reconnaisse[109]. Elle occupe le centre de la tragédie[110]. Nulle héroïne de Voltaire n'est plus touchante. Sa jeunesse, sa douceur, sa tendresse, sa naïveté, sa générosité la prédisposaient au bonheur. Que de délicatesse et de sacrifice dans son amour pour Orosmane! Amour absolu, désintéressé, amour qui donne son unique sens à la vie et que la religion, jamais, n'anéantira. Mais le destin mauvais, sous la forme du passé envahissant, accable Zaïre. Le personnage n'est pas, comme dans *Polyeucte*, déchiré entre son amour et sa foi, mais bien davantage entre

---

104. Lettre à d'Argental du 24 novembre 1772, citée par R. Naves, *op. cit.*; 105. Lettre à d'Argental du 16 décembre 1760; 106. G. Lanson, *op. cit.*, pages 147-149; 107. Voir par exemple : *Œdipe*, I, I et V, IV; *Brutus*, IV, III; *Eriphyle*, I, III; 108. Sur ce classement et ces distinctions, voir R. Naves, *op. cit.*, pages 479 et suiv.; 109. R. Naves rappelle à ce propos les autres personnages d'Artémise, de Mariamne, d'Adélaïde, d'Alzire, d'Idamé, d'Aménaïde, d'Olympie et de Julie; 110. Voir Orientations de recherche (*Zaïre*).

son amour et son passé, que Fatime, Nérestan et Lusignan lui rendent. Or, ce passé, qu'elle assume par fidélité, ne lui appartient plus. Zaïre se veut chrétienne, plus qu'elle ne le désire. Le rêve prend alors dans son âme la meilleure part. La jeune fille tentera, vainement, et jamais dupée, par le moyen de l'imagination, de réconcilier le passé et le présent nouveau[111]. Ce déchirement, nul autour d'elle ne peut le comprendre, encore moins le partager, pas même celui qu'elle aime. Lentement, Zaïre s'achemine vers l'absolue solitude, qui trouve son épilogue dans la nuit mortelle du cinquième acte. Son dernier cri s'adresse à Dieu, non comme une invocation, mais sous forme d'exclamation stéréotypée, vide de vie, cri désespéré vers Celui qui ne répondit pas à ses incessantes prières

Orosmane appartient à la série des prétendants brutaux et injustes, mais que n'habite nulle méchanceté profonde[112]. Le personnage flattait le goût de l'époque pour l'exotisme. Son appartenance au mythe oriental aurait pu figer sa psychologie. Voltaire a su en faire un être vivant. A ses qualités humaines, à sa libéralité, sa clémence, sa générosité, Orosmane joint un grand sens politique et une autorité morale indiscutée. L'amour qu'il éprouve est à la mesure d'une telle personnalité. La foi couronne l'ensemble de générosité et de tolérance. Enfin, l'orgueil et la fierté, faits de la conscience aristocratique de sa propre valeur, lui permettent de lutter contre les tentations de la bassesse. Et pourtant insensiblement, Orosmane sera entraîné par la passion : la désillusion, le doute, le désespoir, la rage, la haine troubleront sa lucidité. A la différence des généreux de Corneille, ceux de Voltaire ne jugulent pas le destin par leur constance. Orosmane suit un chemin parallèle à celui de Zaïre : il est lentement emporté, dépouillé de toute communion avec autrui, jusqu'à la solitude finale, où, encore plus seul que son amante, il s'abhorre lui-même avant de se suicider. Redevenu comme au premier jour, c'est un autre lui-même qu'il tue. Voltaire est parvenu à rendre cette figure attachante, mais, il faut l'avouer, le personnage paraît plus français que musulman. Ce Saladin a des attitudes de héros classique.

Le troisième type de personnage, « l'homme sympathique aimant la femme vertueuse, mais éloigné par les circonstances, victime du hasard[113] », a son expression en **Nérestan**. Audacieux, hautain, généreux, il est avant tout un chevalier de Dieu qui met toute son énergie au service de la conversion de Zaïre. Sa foi est absolue et prend parfois la forme du fanatisme. Orosmane restera toujours pour lui l'infidèle, et Nérestan sera incapable de comprendre sa propre sœur. Pourtant l'austérité ne l'empêche pas de se conduire avec courtoisie et élégance. Et, parfois, le lointain parfum de la cour de France parvient jusqu'à nous. **Châtillon** se distingue de Nérestan. Il est moins rigoriste, plus calculateur, et il sait mêler foi et politique.

Lusignan est un personnage nouveau dans le théâtre de Voltaire. Il

---

111. Voir vers 1095-1100 ; 112. R. Naves lui joint les personnages de Cassandre, d'Hérode, de Vendôme, de Guzman, de Gengis, d'Orbassan et d'Octave ; 113. R. Naves cite, comme appartenant à cette catégorie, Philoctète, Philotas, Sohème, Nemours, Tancrède, Zamore.

inaugure la série des vieillards vertueux dont l'idéal s'oppose au bonheur des héros sympathiques[114]. Il a moins de réalité que les autres chrétiens. Le malheur, les vingt années de cachot ont fait de lui le symbole de la souffrance et de la vertu intransigeante. Son présent s'est mué en un passé figé, pour rappeler aux autres chrétiens le sens de leur combat et faire renaître Zaïre à son enfance perdue. Le point commun des héros chrétiens, « conquérants, apôtres et martyrs », selon le mot de La Harpe, est en effet leur obsession du passé. Les images de feu, de sang, de cendres qui surgissent aussitôt qu'ils l'évoquent montrent chez la plupart une incidence traumatisante. Ils semblent d'autant moins pouvoir s'en débarrasser que la situation présente le leur rappelle sans cesse et qu'elle en paraît comme le prolongement. Or, c'est ce passé collectif qu'ils s'efforcent d'inculquer de nouveau à Zaïre comme pour rejoindre d'une façon définitive leur propre passé de martyr — à l'image du martyr divin —, qui menaçait de perdre son sens

Fatime fait pendant à Nérestan sur le plan psychologique; femme, elle a des accents maternels, elle reçoit les confidences de Zaïre, mais son exaltation religieuse confine parfois au fanatisme. Sur le plan de la structure dramatique, elle correspond au musulman **Corasmin**. Les deux personnages reçoivent les confidences des protagonistes. Mais la comparaison ne peut aller au-delà. Corasmin est une âme mauvaise : il flatte les penchants de son maître, qu'il ne comprend pas toujours, plus qu'il ne donne des conseils. Les dialogues entre les deux hommes tiennent plus du monologue entre-coupé que de la discussion. Contrairement à Iago, Corasmin n'est pas le démiurge de la pièce; il appartient à la classe des Photin[115]. Il n'est que l'agent du malheur, l'outil de la fatalité méchante.

« ZAÏRE » ET L'HISTOIRE

L'histoire a, dans la dramaturgie de Voltaire, un rôle important. Elle permet l'élévation propice aux sujets tragiques; la noblesse et le sublime y trouvent leur emploi. Voltaire aimera l'histoire romaine pour son sens de la grandeur et de la vertu[116], l'histoire de la France du Moyen Age pour la bravoure et la générosité qui s'y déploient, l'histoire de l'Orient pour les comparaisons philosophiques qu'elle permet[117].

Dans *Zaïre*, les tableaux historiques abondent : prise de Jérusalem[118], prise de Césarée[119], événements de la septième croisade[120], vie à la cour de France[121], bataille de Bouvines[122], etc. Cet arrière-plan historique favorise l'élévation du ton, en mettant aux prises les personnages avec de « grands événements » auxquels ils participent mais qui les dépassent. D'autre part, il assure à l'ensemble la vraisemblance. On comprend que, dans une telle conception, l'exactitude historique n'est pas un souci constant. Il s'agit moins de reconstituer une époque — Voltaire garde cette ambition pour ses

---

114. Viendront après lui Alvarez, Montèze, Benassan, Zopire, Argire; **115.** Personnage de *la Mort de Pompée*, de Corneille; **116.** Voir la Préface de *Rome sauvée*; **117.** Voir R. Naves, *op. cit.*, pages 465 et suiv.; **118.** II, I; **119.** II, I, III; **120.** III, I; **121.** II, III; **122.** II, III.

ouvrages d'histoire — que de recréer une atmosphère. L'histoire, dans les limites permises, est soumise à l'action. Ainsi se côtoient dans *Zaïre* les détails exacts, les allusions précises, les inventions, les transpositions, les équivoques.

L'action se situe, indique-t-il à M. de La Roque, à l'« époque de Saint Louis ». Un événement précise le moment : l'appareillage de la flotte française pour l'Egypte (le 30 mai 1249). Les Lusignan et les Châtillon ont bien existé, mais Voltaire n'indique pas desquels il s'agit et il est bien difficile de leur donner une réalité historique. Lusignan apparaît dans la tragédie comme un « prince issu des rois de Jérusalem ». Guy de Lusignan semble servir de modèle[123]. Le Lusignan de la fiction et celui de l'histoire perdirent chacun leurs quatre enfants et leur femme. Mais le Lusignan de la tragédie subit son malheur au sac de Césarée, alors que celui de l'histoire le subit lors de la prise de Saint-Jean-d'Acre (1090). Après sa défaite et la perte de Jérusalem, Guy de Lusignan fut gardé prisonnier quelques mois (1099) et non vingt années, comme dans la pièce. Il était loin d'être vertueux[124]. Il eut comme ami Renaud de Châtillon, mais l'histoire ne connaît pas de Châtillon tout court ; enfin, Renaud de Châtillon mourut lors de la prise de Jérusalem par Saladin[125]. Ni Nérestan, ni Fatime, ni Zaïre ne trouvent de correspondant dans l'histoire[126]. Orosmane non plus n'a pas existé. La filiation, même hypothétique, avec Noradin est difficilement acceptable. Le vrai Noradin mourut en 1173. Orosmane, s'il était son fils, aurait quatre-vingts ans au moment de l'action. Quant à Zaïre, enlevée, selon la fiction, lors de la prise de Césarée (1169), elle serait encore plus âgée que son soupirant. Historiquement Corasmin n'est pas un homme, mais un peuple, adversaire irréductible des chrétiens[127]. Saladin ne fut pas le prédécesseur de Noradin et mourut cinquante ans après ce dernier.

De même, les faits qui servent de toile de fond à l'action s'appuient sur l'histoire sans la respecter forcément. Jérusalem ne fut pas détruite par les musulmans, et Saladin y entra pacifiquement[128] (1099). Par contre, les croisés, lorsqu'ils s'en étaient emparés quelques mois auparavant, y avaient massacré « tout ce qui n'était pas chrétien[129] ». Les raisons pour lesquelles Louis IX porta la guerre en Egypte sont obscures au Voltaire historien[130], mais nettement exprimées par le dramaturge[131].

Quant aux lieux où se passe l'action, il ne s'agit pas, pour Voltaire, de les reconstituer avec scrupule. Ils sont là pour donner à l'action plus d'intensité, pour accroître la noblesse du discours, approfondir le pathétique de la situation. L'exactitude de la peinture importe peu. On se souviendra de l'importance de Jérusalem dans la tragédie[132]. Elle est lieu de Vie pour les chrétiens, lieu de la Mort vaincue, témoignage irrécusable du bien-fondé de leur foi. C'est à ce lieu que Lusignan fait appel pour que revive en Zaïre le

---

123. Voir Documentation thématique, « *Zaïre* et l'essai sur les mœurs, la fiction et l'histoire », page 156 ; **124.** *Ibid.* ; **125.** Voltaire, *Essai sur les mœurs*, chapitre LVI ; **126.** Le nom de Zaïre est probablement un emprunt au *Bajazet* de Racine ; **127.** Voltaire, *Essai sur les mœurs*, chapitre LVI ; **128.** Voir Documentation thématique, page 158 ; **129.** Voltaire, *Essai sur les mœurs*, chapitre LIV ; **130.** Voir Documentation thématique, page 159 ; **131.** Vers 843-846 ; **132.** Voir Orientations de recherche (*Géographie*, Jérusalem).

passé éteint, dans un discours pathétique où les choses s'animent pour redonner l'espoir et dévoiler une vérité[133]. C'est en ce lieu que les chrétiens vaincus selon les hommes, à l'image du Christ apparemment mort mais ressuscité, peuvent, paradoxalement s'affirmer vainqueurs.

La Palestine, dans cette optique, n'est qu'une toile de fond. Le choix du cadre oriental a des raisons de mode. Voltaire s en explique clairement dans ses lettres[134]. L'évocation est vague et réalisée surtout par appel à l'imagination du spectateur : elle se réduit à des costumes, des décors, à des noms de personnes, de lieux, à des traits de mœurs obligés[135]. En fait le choix de l'Orient permet à Voltaire de donner à son œuvre une dimension polémique qui s'intègre dans le mythe oriental, dont l'*Histoire de Charles XII* lui avait montré les ressources[136]. Corasmin est bien l'officier cauteleux, flatteur, hypocrite, insinuant, soumis à son maître des contes des *Mille et Une Nuits*. Orosmane tient de Saladin, mais il se distingue des autres musulmans par sa droiture, sa rudesse, sa vertu, qu'explique, autant que la foi l'origine de ses ancêtres[137]. On pourrait également le rapprocher de Numan Couprougli, sur lequel Voltaire vient de se documenter pour écrire son *Histoire de Charles XII.*

En somme, dans *Zaïre*, Voltaire a voulu créer une atmosphère historique. Pour y parvenir, il s'est accordé toute liberté avec la vérité de l'histoire. L'illusion poétique suffit à la tragédie. Quelques événements prestigieux des noms, des lieux, modelés au gré de la psychologie des personnages, confèrent à l'ensemble la noblesse qui convient au genre. D'autre part, le choix de l Orient comme lieu de l'action permet, avec ses confrontations de civilisations, une utilisation philosophique de la matière historique.

LE CHRISTIANISME DANS « ZAÏRE »

Voltaire n'a pas prétendu faire une tragédie chrétienne. « On me reproche, écrit-il à Formont le 21 décembre 1732, de mettre une lettre badine à la tête d'une tragédie chrétienne. Ma pièce n'est pas, Dieu merci, plus chrétienne que turque. J'ai prétendu faire une tragédie tendre et intéressante, non pas un sermon. » Mais il se défendit aussi d'avoir écrit une machine contre le christianisme, comme l avait affirmé J.-B. Rousseau.

La place du christianisme dans la pièce se justifie d'abord sur le plan dramatique. La foi sembla à Voltaire le seul sentiment qui puisse combattre l'amour et triompher de lui. Mais quelle foi s'oppose à l'amour en Zaïre? Nous l avons déjà noté : une foi que la jeune fille ne parvient pas à intégrer, parce qu'elle lui fut toujours étrangère. C'est le devoir de fidélité au passé retrouvé, à l identité redécouverte qui lutte en elle contre l'amour sous la pression, souvent intolérable, de son entourage. Il est d'ailleurs notable que jamais la foi ne triomphe de l'amour dans le cœur de la jeune fille. Celle-ci recule sans cesse le moment de se convertir; lorsque, enfin, elle s'y décide, elle trouve la mort sur son chemin. La prière, chez elle, prend le sens d'une invocation, et la divinité des chrétiens lui demeure singulièrement étrangère. Ce Dieu des autres reste caché et montre même parfois une face hostile[138]. Il conquiert sa créature de l'extérieur; nul lent éblouissement n'envahit l'âme de Zaïre. Le martyre n'est pas chez elle, comme chez Polyeucte, Châtillon, Lusignan, Nérestan, une source de joie et d'expansion de l'être, mais une cause de déchirement, de tristesse et de solitude.

Les différentes religions apparaissent très peu dans la pièce. On connaît l'horreur de Voltaire pour les dogmes, source de division et de haine. Sur ce plan, Zaïre reprend les idées reçues : le christianisme est source d'amour, de charité et de sacrifice; la religion musulmane, vue par Orosmane lui-même, est favorable aux plaisirs[139]. Rationnellement, ils ne se distinguent pas l'un de l'autre Ils sont tous deux le produit du hasard de la naissance et de l'éducation. Dès la première scène, Zaïre l'affirme à Fatime :

> La coutume, la loi, plia mes premiers ans
> A la religion des heureux musulmans.
> Je le vois trop : les soins qu'on prend de notre enfance
> Forment nos sentiments, nos mœurs, notre croyance.
> J'eusse été près du Gange esclave des faux dieux,
> Chrétienne dans Paris, musulmane en ces lieux[140].

Cela explique que la confidente soit demeurée chrétienne; à la différence de Zaïre, elle connut les musulmans à l'âge de dix ans, alors que son éducation religieuse était faite. Voltaire insiste ici sur le caractère contingent du christianisme. Zaïre n'est pas coupable de n'être pas chrétienne. R. Pomeau[141] remarque que Voltaire, en posant le problème des vertus et celui du salut des infidèles, se réfère à une tradition ancienne de la pensée libertine et déiste. Le critique pense que la source des vers cités est à chercher dans quelques vers de Dryden recopiés dans le *Carnet anglais* et dans un passage de l'*Essai sur l'entendement humain* de Locke : l'opinion de la société environnante détermine souvent les croyances des hommes; or, il s'agit d'un « faux principe d'assentiment », car, à ce compte, « les hommes auront raison d'être Payens dans le Japon, Mahométans en Turquie, Catholiques Romains en Espagne, Protestants en Angleterre, et Luthériens en Suède[142] ». Les croyances religieuses n'ont pas de fondement rationnel; les religions sont aussi diverses que les civilisations qui leur ont donné le jour.

Dieu, par contre, est unique. Tous les personnages l'invoquent, mais en faveur de leur cause, et interprètent ses actions selon leurs convictions Pour Fatime, Châtillon, Lusignan, Nérestan, il est le Dieu sauveur qui a éprouvé son peuple pour un plus grand bien. Orosmane voit en lui le Tout-Puissant qui récompense ses élus. Zaïre, déchirée entre les deux interprétations, qu'elle ne distingue pas bien, garde toujours distance vis-à-vis du Dieu chrétien.

Le spectateur n'a pas l'impression que Dieu est le maître des événements. Le destin semble décider de tout : il est la force aveugle du hasard qui

---

138. Vers 1081-1084. 1148-1149. Voir Index des thèmes *(Dieu)*; **139.** Vers 163-164; **140.** Vers 103-108; **141.** R. Pomeau, *la Religion de Voltaire*, pages 147-148; **142.** Cité par R. Pomeau, *op. cit.*

récompense ou châtie sans considération des hommes. Cette vision de l'incohérence de l'histoire est celle de l'*Histoire de Charles XII*. Voltaire hésitera, toute sa vie, à donner à l'histoire, à l'existence humaine un sens. Quelques années après *Zaïre*, sous l'influence de Pope et de Clarke, il acceptera l'idée d'une incohérence apparente justifiée finalement, par les desseins inaccessibles d'une providence bienfaisante. La fin de *Zadig* est, à ce point de vue, édifiante. Mais, bientôt, les événements, historiques et personnels, feront douter Voltaire, et de nouveau apparaîtra l'idée que la vie de l'homme est la proie d'un hasard incontrôlé : ainsi en sera-t-il dans *Candide*.

Enfin, la religion ne semble pas influer sur la personnalité profonde des individus[143]. Les chrétiens sont sympathiques; Orosmane ne l'est pas moins. Les premiers sont généreux, vertueux, braves, et on peut dire de même du second. Et, si l'on veut comparer le musulman au chrétien qui lui fait pendant, à Nérestan, il n'est pas certain que l'avantage revienne au second. Ils ont tous deux les plus hautes qualités morales, mais le premier a celle d'être plus tolérant; peut-être est-ce une qualité de vainqueur? En tout cas, de lui, on peut dire avec Zaïre :

> Généreux, bienfaisant, juste, plein de vertus
> S'il était né chrétien, que serait-il de plus[144]?

Cependant, dans *Zaïre*, un certain pathétique n'est pas séparable de l'expression du christianisme. On sent trop chez Fatime, Châtillon, Nérestan et Lusignan qu'il demeure le seul espoir de ces vaincus, le seul sens de leurs vies, pour rester insensible. La foi, liée poétiquement aux thèmes du passé, de l'enfance, du bonheur, à l'imagerie du sang, du feu, du jour et de la nuit, est servie dans les discours de Nérestan, de Châtillon et de Lusignan avec un zèle éloquent. La célèbre adjuration de Lusignan a une puissance d'émotion qui puise sa force dans la conviction fervente et la morale évangélique. Les prières à Dieu, dites tout au long de la pièce par les différents personnages, tour à tour prières d'invocation, d'intercession ou d'action de grâce, forment comme un chœur qui chante, en retrait de l'action humaine, la gloire divine.

VOLTAIRE AU TRAVAIL : L'ÉBAUCHE ET LES RETOUCHES

« Qui est-ce qui ne fait pas des vœux pour que ce rare esprit choisisse et dispose mieux ses sujets, pour qu'il les travaille avec plus de soin et les produise au grand jour avec plus de lenteur et de précaution[145]? » Voilà les souhaits que formulait l'abbé Prévost à l'époque de *Zaïre*. Il discernait fort bien les faiblesses de Voltaire dramaturge : la hâte et la précipitation. Celui-ci travaille d'inspiration : à peine l'idée d'un sujet lui est-elle venue qu'il en fait le plan et rédige déjà l'ébauche. Il ne laisse l'œuvre que lorsqu'elle est achevée, et il veut qu'elle le soit rapidement : il a hâte d'en

---

143. Voir Index des thèmes *(Mœurs, Morale)*; **144.** Vers 1085-1086; **145.** *Le Pour et le Contre*, par l'abbé Prévost, Lefèvre et Saint-Marc (1733-1740), cité par R. Naves. Voir sur ce problème R. Naves, *op. cit.*, pages 475 et suiv.

voir les effets. L'ébauche lui prend quelques jours ; les retouches se prolongeront des mois, des années, parfois toute la vie. Voltaire met dix jours pour faire *Zulime*, dont le sujet l'a « subjugué », huit pour *Rome sauvée*, six pour *Olympie*. Il sait les conséquences d'une telle pratique. Il se censure lui-même avec plus de fermeté que n'importe quel critique. Il n'est pas souvent satisfait du plan de ses ouvrages, de la conduite de l'action, des vraisemblances, des caractères, des dialogues. Sa manière de composer l'amène, en effet, à faire avancer l'action d'acte en acte, de scène en scène, sans toujours se soucier du mouvement d'ensemble, pressé qu'il est d'arriver à la fin.

Voltaire écrivit *Zaïre* en dix-huit jours. La précipitation explique, selon l'auteur, l'écriture par endroits relâchée de la pièce : « *Eriphyle* est mieux écrite[146] », affirme-t-il. A la première représentation, les défaillances de style sont sensibles : « J'avais laissé dans la pièce quelques endroits négligés qui furent relevés avec un tel acharnement que tout l'intérêt était détruit. [...] Je vais retravailler la pièce comme si elle était tombée. Je sais que le public, qui est quelquefois indulgent au théâtre par caprice, est sévère à la lecture par raison[147]. »

Les retouches n'en finiront pas. Dès la première représentation, Voltaire reprend certains passages. De temps à autre il remet l'ouvrage sur le métier : « Vous n'êtes pas le seul qui corrigez vos vers, écrit-il à Cideville. En voici trois que j'ai cru devoir changer dans le premier acte de *Zaïre*. Je vous soumets cette rognure comme tout le reste de l'ouvrage[148]. » Il revoit le texte pour la première édition[149]. Il y travaille de nouveau à l'occasion de la seconde édition, qu'il enverra à Bauche autour du 25 mars 1736 et qui recevra l'approbation le 31 mai de la même année : « Bauche va réimprimer *Zaïre*. Je la corrige. Prant réimprimera *la Henriade*. Je la corrige aussi[150]. » Rien n'est jamais fini. L'impression d'un livre n'achève pas l'ouvrage. En 1733, Voltaire se décrit à Thieriot « toujours enfantant, toujours léchant[151] ». En 1738, songeant à quelque nouvelle représentation, il fait envoyer à Minet par l'intermédiaire de Mlle Quinault, une « petite correction qui regarde *Zaïre*[152] ». Ainsi continuera l'œuvre. De telles retouches ne peuvent cependant pas réformer les défauts d'ensemble dus à une conception hâtive.

Pour l' « Épître dédicatoire », le phénomène inverse se produit. Il s'agit d'une nouveauté. Voltaire a donc toute liberté. Point de règles à respecter, mais plutôt un genre à créer : « J'ai cru, écrit-il à Cideville le 19 décembre 1732, qu'il était temps de ne plus ennuyer le public d'examens sérieux, de règles, de disputes [...] J'ai imaginé une préface d'un genre nouveau dans un goût léger qui plaît par lui-même et, à l'abri de ce badinage, je dis des vérités que peut-être je n'oserais pas hasarder dans un style sérieux. » On

---

146. Lettre à Mlle Quinault du 16 mars 1735 ; 147. Lettre à M. de Cideville et à M. de Formont du 25 août 1732 ; 148. Lettre à M. de Cideville du dimanche 4 janvier 1733 ; 149. Lettre à M. de Formont vers le 12 septembre 1732 ; 150. Lettre à M. Thieriot du 16 mars 1736. Voir aussi la lettre à M. Berger du 5 avril 1736 ; 151. Lettre à M. Thieriot du 15 décembre 1737 à Cirey ; 152. Lettre à Mlle Quinault de janvier 1738.

voit les caractéristiques de cette nouveauté : légèreté, badinage, esprit critique Voltaire n'a pas à forcer son génie. L'« Epître dédicatoire » est écrite d'un trait Le *Journal de la Cour et de Paris* va jusqu'à dire que c'est la partie la mieux réussie de l'ouvrage : « On met cette préface au-dessus de *Zaïre*. Voltaire est admirable dans ces sortes d'ouvrages; s'il n'en était jamais sorti il aurait une réputation bien plus entière[153]. » Cette fois, les retouches qu'il fera le seront contre son gré. La direction de la librairie les lui suggérera. Le 19 décembre 1732, Voltaire fait part à Cideville de son embarras. Le 20, il se confie à Maupertuis : « [...] des difficultés, des tracasseries et des injustices singulières que j'essuie depuis quelques jours au sujet d'une préface que je destinais de *Zaïre* ne me laissent pas un moment de libre. » On reprochait surtout à l'auteur son éloge de Louis XIV, qui fut suspecté d'être, par contraste, une satire de Louis XV[154], et ce qui regardait Mlle Lecouvreur[155]. Après quelque réticence, il se résolut enfin à changer certaines expressions, et « toute cette petite noise » fut apaisée[156]. Il ne retoucha plus l'« Epître dédicatoire ».

En 1736, il écrit une « Seconde Epître dédicatoire » pour s'excuser de l'outrage qui avait été fait à Falkener sur la scène de la Comédie-Italienne de Paris[157] et pour remercier la nation anglaise, en la personne de son ami, de la traduction de *Zaïre* et de sa représentation à Londres. Cette « Seconde Epître dédicatoire », fut, comme la première, rédigée d'un trait[158]. La direction de la librairie ne trouva rien à redire, et Voltaire aucune retouche à faire.

INTÉRÊT LITTÉRAIRE

Zaïre reste la tragédie de Voltaire la plus célèbre et presque la seule survivante de son théâtre. Elle doit ce sort à ses qualités humaines A une époque où la « géométrie desséchante » était encore reine, elle s'inscrit dans le courant de libération de la sensibilité qui envahissait progressivement les cœurs et les mœurs. Tous les personnages y sont sympathiques ou intéressants; même Corasmin ne réussit pas à être méchant. L'amour y prend la plus large place : il devient la valeur qui donne un sens à la vie des protagonistes. La foi ne parvient pas à le balancer. Il n'est plus une faiblesse ou un danger, mais presque une vertu qui hausse les individus au-dessus d'eux-mêmes. Le sentiment est la mesure du plus grand nombre de choses : dans *Zaïre*, la raison ne peut rien contre la douleur de Nérestan ou la détresse de Lusignan, rien non plus contre la passion de Zaïre ou celle d'Orosmane C'est le cœur qui a toutes les raisons

On peut trouver que Voltaire abuse du pathétique, qu'il pratique une sorte de « géométrie morale[159] », qu'il fond toutes ses tentatives dans un

153. *La Revue rétrospective* (1835-1837, tome V); 154. Lettre à M. de Cideville du 19 décembre 1732; 155. Lettre à M. de Formont du dimanche [?] 21 décembre 1732 (date proposée par M. Besterman). Voir sur les péripéties de la publication Documentation thématique, « Voltaire commentateur de son œuvre », page 160; 156. Lettre à M. de Cideville du dimanche 4 janvier 1733 et celle à M. Thieriot du 24 février 1733; 157. Voir la « Seconde Epître dédicatoire », note 226, page 55; 158. Lettre à M. Falkener du 9 février 1736; 159. R. Naves, *op. cit.*, page 479.

même moule : celui de la tragédie édifiante et sensible. Certes, il sacrifie le vraisemblable au pathétique et s'inquiète trop peu des ressorts de l'intrigue et du déroulement de l'action. Le larmoyant avec lui, envahit la scène. Mais, par ces défauts mêmes, l'auteur est proportionné à ses contemporains et répond aux aspirations de son temps.

En fait *Zaïre*, comme toutes les pièces du théâtre de Voltaire, trouve son unité dans l'intention critique de l'œuvre. L'intérêt de ce théâtre est de poser des questions plus que de les résoudre. A travers sa recherche du naturel, de la noblesse et du pathétique, Voltaire pose dans *Zaïre* le problème de la tragédie classique, dont les structures formelles et idéologiques ne sont plus adaptées à l'expression de la sensibilité nouvelle qui s'affirme chaque jour davantage. En s'interrogeant sur de nouvelles formes de pathétique, en insistant sur l'importance de l'action et du spectacle, il pose les jalons d'un nouveau théâtre. Le souci de l'idée contribue à élargir le cadre moral et le cadre dramatique : l'action se déroule en Orient, ce qui permet de profitables et utiles comparaisons sur divers plans. Le pathétique de la vertu a, lui aussi, une incidence philosophique : il exprime l'optimisme fondamental du XVIIIe siècle, la confiance dans la bonté de l'homme, qui s'oppose au doute de l'âge précédent. Comme l'a remarqué R. Naves[160], la tragédie de Voltaire n'observe pas, elle persuade. Elle peint les hommes « tels qu'ils devraient être », dans le dessein de développer en eux le goût du bien et de les élever moralement. Sur ce plan, *Zaïre* est un plaidoyer, une œuvre de combat qui s'inscrit dans l'essai de reconquête de l'homme par lui-même qu'entreprit le Siècle des Lumières. Enfin, elle est, par tous ces aspects, comme l'expression de la foi, de l'espoir et de l'espérance de Voltaire.

Par toutes les questions qu'elle pose, elle semble annoncer quelque chose[161]. Autour de 1760, elle contribuera à l'essor de la tragédie philosophique avec Marmontel et La Harpe. En réintégrant au théâtre le Moyen Age français, elle favorisera le développement des sujets modernes : exotiques avec Lemierre et français du Moyen Age avec Debelloy. Le caractère mélodramatique prendra bientôt toute son importance avec Piron, Marmontel, Lemierre et surtout Debelloy. L'influence anglaise aura le plus grand succès : le genre sombre s'affirme. Gresset, Colardeau, Baculard d'Arnaud s'y essaient. Ducis fait jouer *Hamlet* en 1769, *Macbeth* en 1784, *Othello* en 1792 : ses adaptations nous semblent aujourd'hui timides et maladroites; à l'époque, elles parurent hardies et choquèrent le public.

Lorsque la tragédie de type classique s'anémiera sous la Révolution et l'Empire, les Raynouard, Brifaut et de Jouy songeront toujours aux réformes proposées par Voltaire dans *Zaïre* pour lui redonner vie. L'entreprise échouera.

En effet on l'a vu *Zaïre* ouvre sur autre chose que la tragédie du Grand Siècle, qu'elle met en question. Elle ouvre la voie au mélodrame, qui devance le drame romantique, et lui offre ses modèles. Là, les sujets sont

---

160. R. Naves, *op. cit.*, pages 480-487; 161. Voir sur ce point G. Lanson, *op. cit.*, pages 149-176, et J. Morel, *la Tragédie*, pages 73-75 (Paris, 1964).

tirés, comme dans *Zaïre*, de l'histoire ou des théâtres étrangers. Le décor prend une place importante. Les situations romanesques et les coups de théâtre s'accumulent, souvent amenés par les moyens les plus artificiels, parmi lesquels la croix de *Zaïre* paraîtrait déplacée. Le mélodrame, enfin, perfectionne l'art de tirer le pathétique de l'intrigue.

A travers le mélodrame, *Zaïre* annonce le romantisme par la recherche encore superficielle du pittoresque historique, mais plus encore par une certaine vision de l'histoire : l'idée de fatalité, de disproportion entre l'homme et la force mystérieuse qui déjoue ses plans, trompe sa volonté, éclaire d'un jour tragique la destinée humaine. Enfin, *Zaïre* annonce le romantisme par la volonté de donner à la tragédie une portée philosophique[162].

Œuvre riche de questions et de promesses, cette pièce est l'expression d'un moment de l'histoire de la sensibilité. Elle offre à l'analyste l'heureuse possibilité d'étudier l'instant où de vieilles formes idéologiques encore toutes-puissantes laissent éclore, à travers et malgré elles, de nouvelles façons de sentir et de penser; elle lui offre aussi la possibilité d'étudier le passage d'un passé à un avenir.

---

162. Qu'on trouve dans le théâtre de Vigny, par exemple.

INDEX DES THÈMES DE ZAÏRE
ET ORIENTATIONS DE RECHERCHE

A. INDEX DES THÈMES DE ZAÏRE

Nous avons souvent indiqué seul le vers grâce auquel le thème pouvait être repéré.

I THÈMES VOLTAIRIENS

Art : — art et politique : « Epître dédicatoire », page 54 — art et société : « Seconde Epître dédicatoire », page 58. — Voir aussi *Comédien, Liberté, Mœurs, Morale.*

Comédien : « Epître dédicatoire », page 52; « Seconde Epître dédicatoire », page 56; Documentation thématique, page 167; Notice, page 27. — Voir aussi *Art.*

Coutume : vers 19-27, 103-117. — Voir aussi *Mœurs, Morale, Passé.*

Destin : — tout-puissant : vers 20, 275 — heureux : vers 3, 497 — malheureux : vers 334, 337, 425, 426, 483, 541, 542-544, 1055, 1157. — Voir aussi *Dieu, Religion.*

Dieu : — pour Châtillon : vers 317, 398-400, 405. — Voir aussi *Châtillon* — pour Fatime : vers 81, 1040-1042, 1595-1603. — Voir aussi *Fatime* — pour Lusignan : vers 619-620, 669-682. — Voir aussi *Lusignan* — pour Nérestan : vers 338, 343, 1592. — Voir aussi *Nérestan* — pour Zaïre : Dieu caché : vers 89, 100; Dieu injuste : vers 1081-1084, 1148-1149; le Dieu des autres : vers 1441-1445, 1492. — Voir aussi *Destin, Passé.*

Foi : voir *Châtillon, Fatime, Lusignan, Mœurs, Morale, Nérestan, Orosmane, Religion, Zaïre.*

Français : — vus par les chrétiens : vers 10, 13, 14, 15, 28, 325, 327-328, 537-538, 545-548 — vus par les musulmans : vers 183, 696. — Voir aussi *Châtillon, Fatime, France, Lusignan, Nérestan.*

Générosité : voir *Châtillon, Mœurs, Morale, Nérestan, Orosmane, Religion, Zaïre.*

Gloire : voir *Nérestan, Orosmane, Zaïre.*

Goût : « Epître dédicatoire », page 48; Notice, page 24. — Voir aussi *Art, Comédien.*

Guerre : voir *Châtillon, Histoire, Lusignan, Nérestan, Orosmane, Passé, Zaïre.*

Liberté : vers 9-17; « Epître dédicatoire », page 47. — Voir aussi *Art, Coutume, Mœurs, Morale, Passé.*

Mœurs : — et climat : vers 756-758 — et coutume : vers 105-106 — et morale : vers 169-176 — et religion : 1085-1086; Jugements, page 168. — Voir aussi *Coutume, Morale, Passé, Religion.*

II. THÈMES GÉNÉRAUX

dramatique : Lusignan : vers 562, 565, 772-780; Orosmane : vers 1646; Zaïre : vers 1562 — et religion : vers 619, 669-682. — Voir aussi **Baptême, Dieu, Religion, Images** : sang.

Musulmans : — vus par les Français : vers 348, 1029-1038 — vus par les musulmans : vers 161-176. — Voir aussi **Corasmin, Orosmane.**

Passé : — importance dramatique et psychologique : vers 46, 105-107 116-117 445-446 — de Châtillon : vers 409, 587-596 — de Lusignan : vers 557-564, 576, 580-586, 649-655 — de Nérestan : vers 430-432, 597-600 — de Zaïre : vers 12, 21, 27, 89-90, 119, 481-482, 748, 787-790, 795-798, 808-812, 819-820, 832, 836, 886-893, 1071-1074, 1442, 1490, 1492. — Voir aussi **Religion, Images** : sang.

Prière : — d'invocation : vers 581, 618-620, 625-626, 641-642, 649-655, 901-902, 1066-1067, 1491-1492, 1648-1650 — d'intercession : vers 1436-1438, 1480-1482 — d'action de grâce : vers 693 — rôle dramatique : Notice, page 35 — Voir aussi **Dieu, Religion.**

Regard : vers 6, 11, 72, 323, 477-478, 480, 489 490, 527, 569-572, 577-578, 609-610, 625, 643, 670-682, 683-685, 912-919, 972, 1139-1147, 1234, 1536, 1576-1580. — Voir aussi **Amour.**

Secret : vers 701, 745-746, 813-816, 963-965, 1116-1117 1190-1193, 1205, 1271-1277. — Voir aussi **Ironie tragique, Zaïre.**

B. ORIENTATIONS DE RECHERCHE

Ce répertoire est destiné à faciliter les recherches nécessaires à l'élaboration d'un certain nombre des exposés proposés.

Châtillon : — personnalité : adroit vers 445-458; généreux, vers 635; passé (poids du), vers 383-409, 587-596; politique, vers 445-458, 473-474 — religion : laxiste, vers 450-454. — Voir aussi **Dieu, Français, Passé, Religion chrétienne.**

Corasmin : — personnalité : cauteleux, vers 995-998; faible, vers 1620-1622; flatteur, vers 981-982, 1257-1262; hypocrite, vers 1301-1305; insinuant, vers 1245-1246, 1526-1527; soumis, vers 4, 5, 1545-1547 1628-1630. — Voir aussi **Musulmans.**

Epîtres dédicatoires (Première et Seconde) : notes 169-238 des « Epîtres »; Documentation thématique, page 160; Notice, page 37.

Fatime : — personnalité : compatissante, vers 76; forte, vers 1453; intelligente, vers 1450-1451; maternelle, vers 81-84 — religion, vers 1438, 1455-1460. — Voir aussi **Dieu, Religion chrétienne.**

Géographie : — Arabie : vers 708 — Asie : vers 422, 712, 948, 1096 — Babylone : vers 174 — Bouvines : vers 558 — Césarée : vers 350, 402, 430, 577, 597-598, 622 — Charente : vers 549 — Chypre : vers 712 — Damas : vers 32 — Egypte : vers 714, 719 — Europe : vers 422, 887, 1038 — France : vers 229, 337 486, 533 719, 739 1298 — Gange : vers 107 — Jérusalem : vers 410, 496 — Joppé : vers 1627 — Jourdain : vers 20, 54, 180, 291, 1098 — Nil : vers 186, 844 — Occident : vers 184, 1036 — Orient : vers 1032 —

Paris : vers 108, 354, 555, 561 — Pont-Euxin : vers 186 — Seine : vers 18 — Sion : vers 413 — Solyme : vers 18, 177, 244, 273, 334, 368, 487, 496, 1281, 1484 — Syrie : vers 150, 177, 266, 349, 711, 1095 — Taurique : vers 756.

Histoire : — la prise de Jérusalem : vers 409-410, 487-596; Documentation thématique, page 156. — Voir *Jérusalem* — la prise de Césarée : vers 577-592. — Voir *Césarée* — l'arrivée de Saint Louis : vers 703-730. — Voir *Louis IX* — les projets de Zaïre : vers 1090-1100. — Voir *Amour* et politique — l'histoire et la fiction : Documentation thématique, page 162; Jugements, page 171; Notice, page 32 — Adam, vicomte de Melun : vers 560 — Bouillon : vers 177, 371 — Dieudonné d'Estaing : vers 560 — Enguerrand III de Coucy : vers 560 — Louis IX : vers 356, 545, 547-548, 704, 726, 735, 809, 843 — Mathieu II de Montmorency : vers 559 — Méledin : vers 717 — Noradin : vers 347, 441 — Philippe Auguste : vers 558.

Images : — sang : symbole du passé, vers 658-661, 661-668, 781-782, 807, 1489-1490; image du passé, vers 349, 380-382, 387-388, 394, 435-440, 591-592, 598-600, 709, 1633, 1645; image du présent : vers 1633, 1645; image du futur : vers 837-840, 1013-1016. — Voir aussi *Mort, Passé*.

● le sombre/la clarté : — sombre : ce qui meurt, vers 64; représentation de la mort, vers 504-505, 277-278, 421, 651, 934, 974; 1409-1413, 1505-1506, 1519-1520, 1529-1532; — clarté : la vie, vers 4, 291; l'espoir, vers 523, 633; 96, 784, 890; la destruction, vers 647, 1581; 385-386; 413, 577, 862-865; — de la clarté au sombre : mouvement imagé de l'œuvre : passage de la clarté éclairante, vers 4, 291; à la clarté destructrice, vers 385-386, 413, 577, 647, 862-865, 1581; et enfin au sombre de la mort, vers 934, 974, 1409-1413, 1505-1506, 1519-1520, 1529-1532. — Voir aussi *Amour, Bonheur, Mort*.

Ironie tragique : vers 649-655; acte III, scène VI; vers 1249-1254, 1373-1375; acte V, scène IX; vers 1567-1582. — Voir aussi *Secret*.

Lieu : vers 2, 16, 25, 108, 294, 585, 586, 669-682, 767, 1051, 1472-1474, 1633. — Voir aussi *Géographie*.

Lusignan : — personnalité : malheureux, vers 287; passé (poids du), vers 368-372, 557-564, 576, 580-586, 649-655; solitaire, vers 389-390 — religion : abnégation, vers 417-418; foi absolue, vers 702; martyr, vers 555; père des chrétiens, vers 404, 419, 509. — Voir aussi *Dieu, Français, Passé, Religion chrétienne*.

Nérestan : — personnalité : brave, vers 8, 315; courageux, vers 29, 258; franc, vers 1313; généreux, vers 28, 249-252, 315, 532, 746; glorieux, vers 31, 532; hautain, vers 30, 289; honneur, vers 255, 535; noble, vers 253; passé (poids du), vers 430-434, 597-600; vaincu, vers 31-32 — religion : fanatisme, vers 343-344, 795, 827, 833-834, 837-846, 1592; fidélité, vers 799; (un certain) jansénisme, vers 441-444; sauveur des chrétiens, vers 338, 343; serviteur de Dieu, vers 338, 343, 799. — Voir aussi *Dieu, Français, Passé, Religion chrétienne*.

Orosmane : — physique : vers 139 — personnalité : amoureux, vers 235-238, 735, 748; bienfaisant, vers 269, 1085; clément, vers 341; courageux,

ÉPÎTRES DÉDICATOIRES

Ceux qui aiment l'histoire littéraire seront bien aises de savoir comment cette pièce fut faite[163]. Plusieurs dames avaient reproché à l'auteur qu'il n'y avait pas assez d'amour dans ses tragédies[164]; il leur répondit qu'il ne croyait pas que ce fût la véritable place de l'amour[165], mais que, puisqu'il leur fallait absolument des héros amoureux, il en ferait tout achevée en vingt-deux jours : elle eut un grand succès[166]. On l'appelle à Paris *tragédie chrétienne*, et on l'a jouée fort souvent à la place de *Polyeucte*.

Zaïre a fourni depuis peu un événement singulier à Londres. Un gentilhomme anglais, nommé M. Bond, passionné pour les spectacles, avait fait traduire cette pièce[167]; et, avant de la donner au théâtre public, il la fit jouer, dans la grande salle des bâtiments d'York, par ses amis. Il y représentait le rôle de Lusignan : il mourut sur le théâtre au moment de la reconnaissance. Les comédiens l'ont jouée depuis avec succès[168].

ÉPÎTRE DÉDICATOIRE[169]
à M. FALKENER, MARCHAND ANGLAIS, 1733[170].

Vous êtes Anglais, mon cher ami, et je suis né en France; mais ceux qui aiment les arts sont tous concitoyens[171]. Les honnêtes gens qui pensent ont à peu près les mêmes principes, et ne composent qu'une république : ainsi il n'est pas plus étrange de voir aujourd'hui une tragédie française dédiée à un Anglais, ou à un Italien, que si un citoyen d'Ephèse ou d'Athènes avait autrefois adressé son ouvrage à

---

163. Le premier alinéa figure en tête de l'Avertissement des éditions de 1738 et de 1742. Le second alinéa a été ajouté dans l'Avertissement de l'édition de 1742. Il fut supprimé en 1746; 164. « Tout le monde me reproche ici que je ne mets pas d'amour dans mes pièces. Ils en auront, cette fois-ci, je vous le jure, et ce ne sera pas de la galanterie » (Voltaire, lettre à M. de Formont du 29 mai 1732); 165. Voir la lettre à M. de La Roque du 21 août 1732 : « Je croyais, dans l'âge même des passions les plus vives, que l'amour n'était point fait pour le théâtre tragique »; 166. La pièce fut représentée en 1732. Elle eut grand succès. Mais Voltaire craignit qu'elle perdît beaucoup après son impression (voir les derniers vers de l'« Épître »); 167. La pièce fut traduite par Aaron Hill, homme de lettres (voir la « Seconde Épître dédicatoire », page 56); 168. Sur le théâtre de Drury-Lane. « Hill confia le rôle de Zaïre à une jeune fille qui n'avait pas encore joué la tragédie. C'était la femme du comédien Colley-Cibber. Sa tentative fut un coup de maître » (Lessing, *Dramaturgie de Hambourg*); 169. Voltaire dut retrancher de cette « Épître dédicatoire » certains passages jugés trop légers pour figurer en tête d'une tragédie chrétienne. Voir la lettre à M. de Formont du 29 mai 1732 et celle à M. de Cideville du 4 janvier 1733; 170. Pendant son exil forcé en Angleterre, en 1726, Voltaire se retira chez Falkener, à Wandsworth, pour y apprendre l'anglais. Falkener était un esprit cultivé qui s'y connaissait en drap et en lettres; 171. Idée chère à Voltaire (voir *Lettres philosophiques*, XXIII. « Sur la considération qu'on doit aux gens de lettres »).

un Grec d'une autre ville. Je vous offre donc cette tragédie comme à mon compatriote dans la littérature, et comme à mon ami intime.

Je jouis en même temps du plaisir de pouvoir dire à ma nation de quel œil les négociants sont regardés chez vous, quelle estime on sait avoir en Angleterre pour une profession qui fait la grandeur de l'Etat, et avec quelle supériorité quelques-uns d'entre vous représentent leur patrie dans le Parlement, et sont au rang des législateurs[172].

Je sais bien que cette profession est méprisée de nos petits-maîtres[173] ; mais vous savez aussi que nos petits-maîtres et les vôtres sont l'espèce la plus ridicule qui rampe avec orgueil sur la surface de la terre.

Une raison encore qui m'engage à m'entretenir de belles-lettres avec un Anglais[174] plutôt qu'avec un autre, c'est votre heureuse liberté de penser ; elle en communique à mon esprit : mes idées se trouvent plus hardies avec vous.

> Quiconque avec moi s'entretient
> Semble disposer de mon âme.
> S'il sent vivement, m'enflamme
> Et, s'il est fort, il me soutient.
> Un courtisan pétri de feinte
> Fait dans moi tristement passer
> Sa défiance et sa contrainte ;
> Mais un esprit libre et sans crainte
> M'enhardit et me fait penser.
> Mon feu s'échauffe à sa lumière.
> Ainsi qu'un jeune peintre, instruit
> Sous Le Moine[175] et sous Largillière[176],
> De ces maîtres qui l'ont conduit
> Se rend la touche[177] familière ;
> Il prend malgré lui leur manière
> Et compose avec leur esprit.
> C'est pourquoi Virgile se fit
> Un devoir d'admirer Homère ;
> Il le suivit dans sa carrière,
> Et son émule il se rendit,
> Sans se rendre son plagiaire.

Ne craignez pas qu'en vous envoyant ma pièce je vous en fasse une longue apologie : je pourrais vous dire pourquoi je n'ai pas donné à

---

172. « Monsieur Addison en France eût été de quelque Académie [...] en Angleterre, il a été Secrétaire d'Etat. Monsieur Newton était Intendant des Monnaies du Royaume ; Monsieur Congreve avait une charge importante ; [...] le docteur Swift est Doyen d'Irlande [...] (*Lettres philosophiques*, XXIII). Falkener lui-même sera nommé ambassadeur à Constantinople en 1734 ; **173.** *Petit-maître* : « être insolent et borné » (Bernis) ; **174.** Voir *Lettres philosophiques*, VIII et IX ; **175.** *Le Moine* (François) : peintre d'histoire, né à Paris (1688-1737). Il fut le meilleur décorateur de son temps. Ses principales œuvres sont la décoration du salon d'Hercule à Versailles et le plafond de la chapelle de la Vierge à Saint-Sulpice ; **176.** *Largillière* (Nicolas) : célèbre portraitiste de la bourgeoisie parisienne (1656-1746) ; **177.** *Touche* : manière dont la couleur est appliquée sur la toile.

Zaïre une vocation plus déterminée au christianisme, avant qu'elle reconnût son père, et pourquoi elle cache son secret à son amant, etc. ; mais les esprits sages qui aiment à rendre justice verront bien mes raisons sans que je les indique : pour les critiques déterminés, qui sont disposés à ne pas me croire, ce serait peine perdue que de les leur dire.

Je me vanterai seulement avec vous d'avoir fait une pièce assez simple, qualité dont on doit faire cas de toutes façons[178].

> Cette heureuse simplicité
> Fut un des plus dignes partages
> De la savante antiquité.
> Anglais, que cette nouveauté
> S'introduise dans vos usages.
> Sur votre théâtre, infecté
> D'horreurs, de gibets, de carnages,
> Mettez donc plus de vérité,
> Avec de plus nobles images.
> Addison[179] l'a déjà tenté ;
> C'était le poète des sages.
> Mais il était trop concerté :
> Et, dans son *Caton* si vanté,
> Ses deux filles, en vérité,
> Sont d'insipides personnages.
> Imitez, du grand Addison,
> Seulement ce qu'il a de bon ;
> Polissez la rude[180] action
> De vos Melpomènes[181] sauvages,
> Travaillez pour les connaisseurs
> De tous les temps, de tous les âges ;
> Et répandez dans vos ouvrages
> La simplicité de vos mœurs.

Que messieurs les poètes anglais ne s'imaginent pas que je veuille leur donner *Zaïre* pour modèle : je leur prêche la simplicité naturelle et la douceur des vers ; mais je ne me fais point du tout le saint de mon sermon. Si *Zaïre* a eu quelque succès, je le dois beaucoup moins à la bonté de mon ouvrage, qu'à la prudence que j'ai eue de parler d'amour le plus tendrement qu'il m'a été possible. J'ai flatté en cela le goût de mon auditoire : on est assez sûr de réussir, quand on parle aux passions des gens plus qu'à leur raison[182]. On veut de l'amour, quelque bon chrétien que l'on soit, et je suis très persuadé que bien en prit au grand Corneille de ne s'être pas borné dans *Polyeucte,* à faire casser

---

178. Voir, sur l'importance de la simplicité dans l'art, le « Discours sur la tragédie », en tête de *Brutus* (1731) ; **179.** *Addison* (Joseph) : célèbre écrivain anglais (1672-1719). « Le premier Anglais qui ait fait une pièce raisonnable et écrite d'un bout à l'autre avec élégance, est l'illustre Monsieur Addison. » Voltaire admirait son *Caton d'Utique* (1713), mais lui reprochait sa froide intrigue d'amour ; **180.** *Rude* : non dégrossi, brut ; **181.** *Melpomène* : Muse de la tragédie ; **182.** « Les femmes qui parent les spectacles [...] ne veulent plus souffrir qu'on leur parle d'autre chose que d'amour » (*Lettres philosophiques*, XVIII).

les statues de Jupiter par les néophytes[183], car telle est la corruption
du genre humain, que peut-être

De Polyeucte la belle âme
Aurait faiblement attendri,
Et les vers chrétiens qu'il déclame
Seraient tombés dans le décri,
N'eût été l'amour de sa femme
Pour ce païen son favori,
Qui méritait bien mieux sa flamme
Que son bon dévot de mari.

Même aventure à peu près est arrivée à Zaïre. Tous ceux qui vont
aux spectacles m'ont assuré que, si elle n'avait été que convertie, elle
aurait peu intéressé ; mais elle est amoureuse de la meilleure foi du
monde, et voilà ce qui a fait sa fortune. Cependant il s'en faut bien que
j'aie échappé à la censure.

Plus d'un éplucheur intraitable
M'a vétillé[184], m'a critiqué :
Plus d'un railleur impitoyable
Prétendant que j'avais croqué
Et peu clairement expliqué
Un roman très peu vraisemblable,
Dans ma cervelle fabriqué ;
Que le sujet en est tronqué,
Que la fin n'est pas raisonnable :
Même on m'avait pronostiqué
Ce sifflet tant épouvantable,
Avec quoi le public choqué
Régale un auteur misérable.
Cher ami, je me suis moqué
De leur censure insupportable :
J'ai mon drame en public risqué ;
Et le parterre favorable,
Au lieu de siffler, m'a claqué[185].
Des larmes même ont offusqué[186]
Plus d'un œil, que j'ai remarqué
Pleurer de l'air le plus aimable.
Mais je ne suis point requinqué[187]
Par un succès si désirable :
Car j'ai comme un autre marqué[188]
Tous les déficits de ma fable[189].

---

183. *Néophyte* : littéralement, nouvellement né ; dans l'Eglise primitive, païen nouvellement
converti. Le mot *néophytes* désigne ici Polyeucte et Néarque, qui brisent dans le temple des
idoles païennes (acte III, scène II) ; **184.** *Vétiller* : faire des difficultés sur de petites choses ;
185. *Cluquer* : applaudir, pour un acteur ou une pièce ; **186.** *Offusquer* : troubler la vue,
obscurcir (voir Corneille, *Imitation de Jésus-Christ*, III, vers 4851). Le verbe tient ce sens du
latin *offuscare*, « placer un corps sombre devant », « répandre de l'ombre sur » ; **187.** *Requin-
quer* : verbe familier et ironique. Au sens figuré, ragaillardir. La forme habituelle est pronominale ; **188.** *Marquer* : indiquer, désigner ; **189.** *Fable* « se prend [...] pour le sujet, l'argument
d'un poème épique, d'un poème dramatique, d'un roman [...] » (Dictionnaire de l'Académie,
1694).

> Je sais qu'il est indubitable
> Que pour former œuvre parfait[190],
> Il faudrait se donner au diable ;
> Et c'est ce que je n'ai pas fait[191].

Je n'ose me flatter que les Anglais fassent à *Zaïre* le même honneur qu'ils ont fait à *Brutus*[192] dont on a joué la traduction sur le théâtre de Londres. Vous avez ici la réputation de n'être ni assez dévots pour vous soucier beaucoup du vieux Lusignan, ni assez tendres pour être touchés de Zaïre[193]. Vous passez pour aimer mieux une intrigue de conjurés qu'une intrigue d'amants. On croit qu'à votre théâtre on bat des mains au mot de *patrie,* et chez nous à celui d'*amour :* cependant, la vérité est que vous mettez de l'amour tout comme nous dans vos tragédies. Si vous n'avez pas la réputation d'être tendres, ce n'est pas que vos héros de théâtre ne soient amoureux, mais c'est qu'ils expriment rarement leur passion d'une manière naturelle[194]. Nos amants parlent en amants et les vôtres ne parlent encore qu'en poètes.

Si vous permettez que les Français soient vos maîtres en galanterie, il y a bien des choses en récompense que nous pourrions prendre de vous. C'est au théâtre anglais que je dois la hardiesse que j'aie eue de mettre sur la scène les noms de nos rois et de nos anciennes familles du royaume. Il me paraît que cette nouveauté pourrait être la source d'un genre de tragédie qui nous est inconnu jusqu'ici, et dont nous avons besoin[195]. Il se trouvera sans doute des génies heureux qui perfectionneront cette idée, dont *Zaïre* n'est qu'une faible ébauche. Tant que l'on continuera en France de protéger les lettres, nous aurons assez d'écrivains. La nature forme presque toujours des hommes en tout genre de talent ; il ne s'agit que de les encourager et de les employer. Mais, si ceux qui se distinguent un peu n'étaient soutenus par quelque récompense honorable, et par l'attrait plus flatteur et la considération[196], tous les beaux-arts pourraient bien dépérir au milieu des abris[197] élevés pour eux, et ces arbres plantés par Louis XIV dégénéreraient faute de culture : le public aurait toujours du goût, mais les grands maîtres manqueraient. Un sculpteur, dans son académie, verrait des hommes médiocres à côté de lui, et n'élève-

---

190. *Œuvre :* « substantif tantôt masculin, tantôt féminin ». Ce mot, masculin à l'origine comme venant d'un neutre (du latin *opera,* au pluriel), était devenu féminin sous l'influence de sa terminaison ; les savants du XVIᵉ siècle voulurent en refaire un masculin. L'usage hésita ; le féminin l'emporte à la fin du XVIIᵉ siècle ; **191.** Voltaire a censuré la fin du poème, fort sévère pour les gens hostiles à *Zaïre;* **192.** *Brutus :* tragédie de Voltaire inspirée de Shakespeare, composée pendant le séjour en Angleterre ; **193.** Les Anglais furent touchés par la pièce et lui firent un beau succès (voir la « Seconde Épître dédicatoire ») ; **194.** « Leurs pièces, presque toutes barbares, dépourvues de bienséances, d'ordre, de vraisemblance, ont des lueurs étonnantes au milieu de cette nuit » (*Lettres philosophiques,* XVIII) ; **195.** « Ou je suis fort trompé ou ce sera la pièce la plus singulière que nous ayons au théâtre. Les noms de Montmorency, de Saint Louis, de Jésus et de Mahomet s'y trouveront » (lettre à M. de Formont du 29 mai 1732) ; **196.** « Tel est le respect que ce peuple a pour les talents, qu'un homme de mérite y fait toujours fortune » (*Lettres philosophiques,* XXIII) ; **197.** Il s'agit des académies fondées par Louis XIV (voir *le Siècle de Louis XIV,* chap. XXXI).

rait pas sa pensée jusqu'à Girardon[198] et au Puget[199]; un peintre se contenterait de se croire supérieur à son confrère, et ne songerait pas à égaler le Poussin[200]. Puissent les successeurs de Louis XIV suivre toujours l'exemple de ce grand roi, qui donnait d'un coup d'œil une noble émulation à tous les artistes! Il encourageait à la fois un Racine et un Van Robais[201]!... Il portait notre commerce et notre gloire par-delà les Indes[202]; il étendait ses grâces sur des étrangers étonnés d'être connus et récompensés par notre cour[203]. Partout où était le mérite, il avait un protecteur dans Louis XIV.

> Car de son astre bienfaisant
> Les influences libérales,
> Du Caire au bord de l'Occident,
> Et sous les glaces boréales,
> Cherchaient le mérite indigent.
> Avec plaisir ses mains royales
> Répandaient la gloire et l'argent :
> Le tout sans brigue et sans cabales,
> Guillelmini, Viviani,
> Et le céleste Cassini[204],
> Auprès des lis venaient se rendre,
> Et quelque forte pension
> Vous aurait pris le grand Newton,
> Si Newton avait pu se prendre.
> Ce sont là les heureux succès
> Qui faisaient la gloire immortelle
> De Louis et du nom français.
> Ce Louis était le modèle
> De l'Europe et de vos Anglais.
> On craignait que, par ses progrès[205],
> Il n'envahît à tout jamais
> La monarchie universelle;
> Mais il l'obtint par ses bienfaits.

Vous n'avez pas chez vous des fondations pareilles aux monuments[206] de la munificence de nos rois, mais votre nation y supplée. Vous n'avez pas besoin des regards du maître pour honorer et récompenser les grands talents en tout genre. Le chevalier Steele[207] et le

---

198. *Girardon* (François) : représentant du classicisme fastueux de Versailles (1631-1715), auteur du *Tombeau de Richelieu* dans la chapelle de la Sorbonne, de l'ancienne statue équestre de Louis XIV, place des Victoires. « [Il] a égalé tout ce que l'antiquité a de plus beau [...] » (*le Siècle de Louis XIV*, « Artistes célèbres ») ; **199.** *Puget* (Pierre) : sculpteur original (1620-1694), auteur de *Milon de Crotone;* **200.** *Poussin* (Nicolas) : peintre français (1594-1665). « [Il] fut l'élève de son génie. [...] Il était de son temps, le plus grand peintre de l'Europe » (*le Siècle de Louis XIV*, « Artistes célèbres ») ; **201.** *Van Robais* (Josse) : manufacturier hollandais (1630-1685), établi à Abbeville. Il était réputé pour la qualité de ses draps ; **202.** Voir *le Siècle de Louis XIV*, chapitre XXIX; **203.** Voir *le Siècle de Louis XIV*, chapitre XXV; **204.** Savants italiens : *Guglielmini* (1655-1710) était mathématicien, *Viviani* (1622-1703) géomètre, *Cassini* (1625-1712) astronome; **205.** *Progrès* : suite de succès militaires; **206.** *Monuments* : « témoignages qui nous restent » (Dictionnaire de Furetière, 1790); **207.** *Steele* : journaliste et auteur de comédies (1672-1729), né à Dublin (voir *Lettres philosophiques*, XIX, « Sur la comédie »).

chevalier Wanbruck[208] étaient en même temps auteurs comiques et membres du Parlement. La primatie[209] du docteur Tillotson[210], l'ambassade de M. Prior[211], la charge de M. Newton[212], le ministère de M. Addison[213], ne sont que les suites ordinaires de la considération qu'ont chez vous les grands hommes. Vous les comblez de biens pendant leur vie, vous leur élevez des mausolées et des statues après leur mort; il n'y a point jusqu'aux actrices célèbres qui n'aient chez vous leur place dans les temples à côté des grands poètes[214].

> Votre Oldfield[215], et sa devancière
> Bracegirdle la minaudière,
> Pour avoir su dans leurs beaux jours
> Réussir au grand art de plaire,
> Ayant achevé leur carrière,
> S'en furent, avec le concours[216]
> De votre république entière,
> Sous un grand poêle de velours,
> Dans votre église pour toujours
> Loger de superbe manière.
> Leur ombre en paraît encor fière,
> Et s'en vante avec les Amours :
> Tandis que le divin Molière,
> Bien plus digne d'un tel honneur,
> A peine obtint le froid bonheur
> De dormir dans un cimetière[217];
> Et que l'aimable Lecouvreur[218],
> A qui j'ai fermé la paupière,
> N'a pas eu même la faveur
> De deux cierges et d'une bière,
> Et que monsieur de Loubinière
> Porta la nuit par charité,
> Ce corps autrefois si vanté,
> Dans un vieux fiacre empaqueté,

---

208. *Wanbruck* (1664-1726). « Ce chevalier était un homme de plaisir, par-dessus cela, poète et architecte : on prétend qu'il écrivait comme il bâtissait, un peu grossièrement » (*Lettres philosophiques*, XIX, « Sur la comédie »); **209.** *Primatie* : dignité de primat; **210.** *Tillotson* : archevêque primat de Cantorbéry (1630-1694); **211.** *Prior* : poète (1664-1721); **212.** *Newton* (1642-1727) « était Intendant des Monnaies du Royaume » (*Lettres philosophiques*, XXIII); **213.** *Addison* : voir note 179; **214.** « Il ne paraît pas juste qu'on excommunie ceux qui donnent ce plaisir pour quelque argent avec la permission du roi de France ou de l'impératrice » (Voltaire, *Conversation de M. l'Intendant des Menus en exercice avec M. l'abbé de Grizet* [1761]; voir aussi *Dictionnaire philosophique*, article « Police des spectacles » [1745]); **215.** *Oldfield* (Anne) : actrice anglaise célèbre (1683-1730). Le mariage de son fils l'avait alliée à l'aristocratie anglaise. Elle fut enterrée à Westminster, « à peu près avec les mêmes honneurs qu'on a rendus à M. Newton » (*Lettres philosophiques*, XXIII); **216.** *Concours* : affluence [...] grand concours de peuple » (*Dictionnaire de l'Académie*, 1794); **217.** « C'est à ce philosophe que l'archevêque de Paris, Harlai, si décrié pour ses mœurs, refusa les vains honneurs de la sépulture : il fallut que le roi engageât ce prélat à souffrir que Molière fût enterré secrètement dans le cimetière de la petite chapelle de Saint-Joseph » (Voltaire, *le Siècle de Louis XIV*, « Artistes célèbres »); **218.** *Adrienne Lecouvreur* (1692-1730) mourut, comme Molière, sans renoncer à sa profession de foi de tragédienne. La sépulture chrétienne lui fut refusée par le curé de Saint-Sulpice. Celle-ci fut enterrée, la nuit, à un coin de la rue de Bourgogne actuelle (voir *Lettres philosophiques*, XXIII).

« La Sultane », tapisserie des Gobelins, d'après J.-B. Van Loo.
Aix-en-Provence, musée des Tapisseries.

> Vers le bord de notre rivière.
> Voyez-vous pas à ce récit
> L'amour irrité qui gémit,
> Qui s'envole en brisant ses armes
> Et Melpomène[219] tout en larmes,
> Qui m'abandonne, et se bannit
> Des lieux ingrats qu'elle embellit
> Si longtemps de ses nobles charmes?

Tout me semble ramener les Français à la barbarie dont Louis XIV et le cardinal de Richelieu les ont tirés. Malheur aux politiques qui ne connaissent pas le prix des beaux-arts! La terre est couverte de nations aussi puissantes que nous. D'où vient cependant que nous les regardons presque toutes avec peu d'estime? c'est par la raison qu'on méprise dans la société un homme riche, dont l'esprit est sans goût et sans culture. Surtout ne croyez pas que cet empire de l'esprit, et cet honneur d'être le modèle des autres peuples, soit une gloire frivole : ce sont les marques infaillibles de la grandeur d'un peuple. C'est toujours sous les plus grands princes que les arts ont fleuri, et leur décadence est quelquefois l'époque de celle d'un Etat. L'histoire est pleine de ces exemples ; mais ce sujet me mènerait trop loin. Il faut que je finisse cette lettre déjà trop longue, en vous envoyant un petit ouvrage qui trouve naturellement sa place à la tête de cette tragédie. C'est une épître en vers à celle qui a joué le rôle de Zaïre[220] : je lui devais au moins un compliment pour la façon dont elle s'en est acquittée :

> Car le prophète de La Mecque
> Dans son sérail n'a jamais eu
> Si gentille Arabesque ou Grecque :
> Son œil noir, tendre et bien fendu,
> Sa voix, et sa grâce intrinsèque,
> Ont mon ouvrage défendu
> Contre l'auditeur qui rebèque[221] ;
> Mais, quand le lecteur morfondu
> L'aura dans sa bibliothèque,
> Tout mon bonheur sera perdu.

Adieu, mon ami ; cultivez toujours les lettres et la philosophie, sans oublier d'envoyer des vaisseaux dans les échelles du Levant. Je vous embrasse de tout mon cœur.

Voltaire.

---

219. *Melpomène* : voir la note 181; **220.** Il s'agit de Mlle Gaussin (1711-1767); **221.** *Rebéquer* : répondre, se révolter (mot populaire). Ce verbe se rencontre surtout à la forme pronominale.

■ QUESTIONS ─────────────────────

■ Sur l' « épître dédicatoire ». — Relevez les raisons par lesquelles Voltaire justifie sa dédicace.

(Suite, v. p. 55.)

SECONDE ÉPÎTRE DÉDICATOIRE

À M. le chevalier Falkener,
Ambassadeur d'Angleterre à la Porte ottomane, 1736[222].

Mon cher ami (car votre nouvelle dignité d'ambassadeur rend seulement notre amitié plus respectable, et ne m'empêche pas de me servir ici d'un titre plus sacré que le titre de ministre : le nom d'ami est bien au-dessus de celui d'excellence), je dédie à l'ambassadeur d'un grand roi et d'une nation libre le même ouvrage que j'ai dédié au simple citoyen, au négociant anglais[223].

Ceux qui savent combien le commerce est honoré dans votre patrie n'ignorent pas aussi qu'un négociant y est quelquefois un législateur, un bon officier, un ministre public[224].

Quelques personnes, corrompues par l'indigne usage de ne rendre hommage qu'à la grandeur, ont essayé de jeter un ridicule sur la nouveauté d'une dédicace faite à un homme qui n'avait alors que du mérite[225]. On a osé[226], sur un théâtre consacré au mauvais goût et à la médisance, insulter à l'auteur de cette dédicace, et à celui qui l'avait reçue : on a osé lui reprocher d'être un négociant. Il ne faut point imputer à notre nation une grossièreté si honteuse, dont les peuples les moins civilisés rougiraient. Les magistrats qui veillent parmi nous sur les mœurs, et qui sont continuellement occupés à réprimer le scandale, furent surpris alors ; mais le mépris et l'horreur du public

---

222. *Falkener* était ambassadeur à Constantinople depuis 1734 ; **223.** Voir la note 170 ; **224.** « Tout cela donne un juste orgueil à un Marchand anglais, et fait qu'il ose se comparer, non sans quelque raison, à un citoyen romain, aussi le Cadet d'un Pair du Royaume ne dédaigne point le négoce » (*Lettres philosophiques*, X) ; **225.** « Je ne sais pourtant lequel est le plus utile à un Etat, ou un Seigneur bien poudré [...] ou un Négociant qui enrichit son Pays » (*Lettres philosophiques*, X) ; **226.** On joua une mauvaise farce à la Comédie-Italienne de Paris, dans laquelle on insultait grossièrement plusieurs personnes de mérite, et, entre autres, M. Falkener. Le sieur Hérault, lieutenant de police, permit cette indignité et le public la siffla (1748) [Edit. de Kehl].

──────── **QUESTIONS** ────────────────────────────

— Sur quel plan s'établit la communauté d'esprit entre M. Falkener et Voltaire? Analysez le rôle de la culture dans la compréhension entre les hommes. Cette « Epître » n'est-elle pas indirectement destinée aux Français? Montrez qu'il n'est pas indifférent que M. Falkener soit Anglais, en vous souvenant des *Lettres philosophiques*, écrites vers la même époque (voir en particulier les lettres XX et XXIII). Sur quoi doit reposer, selon Voltaire, la considération qu'on accorde à certains hommes? Quelle est l'importance de la liberté de penser?

— Essayez de définir le goût de Voltaire tel qu'il s'affirme ici : respect de l'Antiquité et recherche de la simplicité naturelle. Comment l'auteur justifie-t-il l'intrigue amoureuse de *Zaïre*? Sa volonté de plaire n'est-elle pas encore un des principes fondamentaux de l'esthétique classique? Reconnaît-il des défauts à sa pièce? Quels sont les rapports entre le goût et les mœurs? Définissez, d'après Voltaire, le goût anglais (voir aussi les *Lettres philosophiques*, XVIII et XIX). Qu'est-ce qui le distingue du goût français? Peut-on analyser l'influence qu'eut le théâtre anglais sur le goût de Voltaire?

pour l'auteur connu de cette indignité sont une nouvelle preuve de la politesse des Français.

Les vertus qui forment le caractère d'un peuple sont souvent démenties par les vices d'un particulier. Il y a eu quelques hommes voluptueux à Lacédémone[227]. Il y a eu des esprits légers et bas en Angleterre. Il y a eu dans Athènes des hommes sans goût, impolis et grossiers ; et on en trouve dans Paris.

Oublions-les, comme ils sont oubliés du public ; et recevez ce second hommage : je le dois d'autant plus à un Anglais, que cette tragédie vient d'être embellie à Londres. Elle y a été traduite et jouée avec tant de succès, on a parlé de moi sur votre théâtre avec tant de politesse et de bonté, que j'en dois ici un remercîment public à votre nation.

Je ne peux mieux faire, je crois, pour l'honneur des lettres, que d'apprendre ici à mes compatriotes les singularités de la traduction et de la représentation de *Zaïre* sur le théâtre de Londres.

M. Hill, homme de lettres, qui paraît connaître le théâtre mieux qu'aucun auteur anglais, me fit l'honneur de traduire ma pièce, dans le dessein d'introduire sur votre scène quelques nouveautés, et pour la manière d'écrire les tragédies et pour celle de les réciter[228]. Je parlerai d'abord de la représentation.

L'art de déclamer était chez vous un peu hors de la nature : la plupart de vos acteurs tragiques s'exprimaient souvent plus en poètes saisis d'enthousiasme, qu'en hommes que la passion inspire. Beaucoup de comédiens avaient encore outré ce défaut ; ils déclamaient des vers ampoulés, avec une fureur et une impétuosité qui est au beau naturel ce que les convulsions sont à l'égard d'une démarche noble et aisée.

Cet air d'emportement semblait étranger à votre nation ; car elle est naturellement sage, et cette sagesse est quelquefois prise pour de la froideur par les étrangers. Vos prédicateurs ne se permettent jamais un ton de déclamateur. On rirait chez vous d'un avocat qui s'échaufferait dans son plaidoyer. Les seuls comédiens étaient outrés. Nos acteurs, et surtout nos actrices de Paris, avaient ce défaut, il y a quelques années : ce fut Mlle Lecouvreur qui les en corrigea. Voyez ce qu'en dit un auteur italien de beaucoup d'esprit et de sens :

> La leggiadra Couvreur sola non trotta
> Per quella strada dove i suoi compagni
> Van di galoppo tutti quanti in frotta :
> Se avvien ch'ella pianga, o che si lagni
> Senza quegli urli spaventosi loro,
> Timuove si che in pianger l'accompagni[229].

---

227. *Lacédémone* : Sparte, célèbre pour l'austérité de ses mœurs ; 228. « Le style [des tragédies anglaises] est trop ampoulé, trop hors de nature, trop copié des écrivains hébreux si remplis de l'enflure asiatique » (*Lettres philosophiques*, XVIII) ; 229. « La gracieuse Couvreur seule ne trotte pas sur la voie où tous ses camarades vont au galop en bande ; s'il arrive qu'elle pleure ou qu'elle se lamente sans pousser leurs cris épouvantables, elle t'émeut tant que tes pleurs accompagnent les siens. »

Ce même changement que Mlle Lecouvreur avait fait sur notre scène, Mlle Cibber[230] vient de l'introduire sur le théâtre anglais, dans le rôle de Zaïre. Chose étrange, que dans tous les arts ce ne soit qu'après bien du temps qu'on vienne enfin au naturel et au simple!

Une nouveauté qui va paraître plus singulière aux Français, c'est qu'un gentilhomme de votre pays, qui a de la fortune et de la considération, n'a pas dédaigné de jouer sur votre théâtre le rôle d'Orosmane. C'était un spectacle assez intéressant de voir les deux principaux personnages remplis, l'un par un homme de condition, et l'autre par une jeune actrice de dix-huit ans, qui n'avait pas encore récité un vers en sa vie.

Cet exemple d'un citoyen qui a fait usage de son talent pour la déclamation, n'est pas le premier parmi vous. Tout ce qu'il y a de surprenant en cela, c'est que nous nous en étonnions.

Nous devrions faire réflexion que toutes les choses de ce monde dépendent de l'usage et de l'opinion[231]. La cour de France a dansé sur le théâtre avec les acteurs de l'Opéra, et on n'a rien trouvé en cela d'étrange, sinon que la mode de ces divertissements ait fini. Pourquoi sera-t-il plus étonnant de réciter que de danser en public? Y a-t-il d'autre différence entre ces deux arts, sinon que l'un est autant au-dessus de l'autre, que les talents où l'esprit a quelque part sont au-dessus de ceux du corps? Je le répète encore, et je le dirai toujours, aucun des beaux-arts n'est méprisable; et il n'est véritablement honteux que d'attacher de la honte aux talents.

Venons à présent à la traduction de *Zaïre,* et au changement qui vient de se faire chez vous dans l'art dramatique.

Vous aviez une coutume à laquelle M. Addison, le plus sage de vos écrivains, s'est asservi lui-même; tant l'usage tient lieu de raison et de loi. Cette coutume peu raisonnable était de finir chaque acte par des vers d'un goût différent du reste de la pièce; et ces vers devaient nécessairement renfermer une comparaison. Phèdre, en sortant du théâtre, se comparait poétiquement à une biche; Caton, à un rocher; Cléopâtre, à des enfants qui pleurent jusqu'à ce qu'ils soient endormis.

Le traducteur de *Zaïre* est le premier qui ait osé maintenir les droits de la nature contre un goût si éloigné d'elle. Il a proscrit cet usage; il a senti que la passion doit parler un langage vrai, et que le poète doit se cacher toujours, pour ne laisser paraître que le héros[232].

C'est sur ce principe qu'il a traduit, avec naïveté et sans aucune

---

230. Voir note 168; **231.** Idée chère à Voltaire (voir *Dictionnaire philosophique*, article « Coutumes », qui date de 1771. Se reporter à l'acte premier, scène première de *Zaïre*, en particulier aux vers 103-106); **232.** « Il est vrai que les Anglais, depuis Shakespeare et peut-être avant lui, avaient l'habitude de terminer par deux vers rimés leurs pièces en vers blancs. Mais, que ces vers ne dussent renfermer que des comparaisons et cela nécessairement, voilà ce qui est entièrement faux, et je ne sais comment M. de Voltaire a pu dire cela au nez d'un Anglais qu'il devait bien soupçonner d'avoir lu les poètes tragiques de sa nation. En second lieu, il n'est pas vrai de dire que Hill, dans sa traduction de *Zaïre*, s'est affranchi de cette coutume » (Lessing, *Dramaturgie de Hambourg*, 1767).

enflure, tous les vers simples de la pièce, que l'on gâterait, si on voulait les rendre beaux.

> On ne peut désirer ce qu'on ne connaît pas (acte I, scène I).
>
> J'eusse été près du Gange esclave des faux dieux,
> Chrétienne dans Paris, musulmane en ces lieux (I, I).
>
> Mais Orosmane m'aime, et j'ai tout oublié (I, I).
>
> Non, la reconnaissance est un faible retour,
> Un tribut offensant, trop peu fait pour l'amour (I, I).
>
> Je me croirais haï, d'être aimé faiblement (I, II).
>
> Je veux avec excès vous aimer et vous plaire (I, II).
>
> L'art n'est pas fait pour toi, tu n'en as pas besoin (IV, II).
>
> L'art le plus innocent tient de la perfidie (IV, II).

Tous les vers qui sont dans ce goût simple et vrai sont rendus mot à mot dans l'anglais. Il eût été aisé de les orner ; mais le traducteur a jugé autrement que quelques-uns de mes compatriotes : il a aimé et il a rendu toute la naïveté de ces vers. En effet, le style doit être conforme au sujet. *Alzire, Brutus* et *Zaïre* demandaient, par exemple, trois sortes de versifications différentes.

Si Bérénice se plaignait de Titus, et Ariane[233] de Thésée dans le style de *Cinna,* Bérénice et Ariane ne toucheraient point.

Jamais on ne parlera bien d'amour, si l'on cherche d'autres ornements que la simplicité et la vérité.

Il n'est pas question ici d'examiner s'il est bien de mettre tant d'amour dans les pièces de théâtre. Je veux que ce soit une faute, elle est et sera universelle ; et je ne sais quel nom donner aux fautes qui font le charme du genre humain[234].

Ce qui est certain, c'est que, dans ce défaut, les Français ont réussi plus que toutes les autres nations anciennes et modernes mises ensemble. L'amour paraît sur nos théâtres avec des bienséances, une délicatesse, une vérité qu'on ne trouve point ailleurs. C'est que, de toutes les nations, la française est celle qui a le plus connu la société.

Le commerce continuel si vif et si poli des deux sexes a introduit en France une politesse assez ignorée ailleurs.

La société dépend des femmes. Tous les peuples qui ont le malheur de les enfermer sont insociables. Et des mœurs encore austères parmi vous, des querelles politiques, des guerres de religion, qui vous avaient rendus farouches, vous ôtèrent, jusqu'au temps de Charles II, la douceur de la société, au milieu même de la liberté. Les poètes ne devaient donc savoir, ni dans aucun pays, ni même chez les Anglais, la manière dont les honnêtes gens traitent l'amour.

La bonne comédie fut ignorée jusqu'à Molière, comme l'art d'exprimer sur le théâtre des sentiments vrais et délicats fut ignoré jusqu'à Racine, parce que la société ne fut, pour ainsi dire, dans sa perfection que de leur temps. Un poète, du fond de son cabinet, ne peut peindre

---

233. *Ariane :* tragédie de Thomas Corneille (1672). Ces plaintes sont à l'acte III, scène IV;
234. Voir *Lettres philosophiques*, XVIII, « Sur la tragédie ».

des mœurs qu'il n'a point vues; il aura plutôt fait cent odes et cent épîtres, qu'une scène où il faut faire parler la nature.

Votre Dryden[235], qui d'ailleurs était un grand génie, mettait dans la bouche de ses héros amoureux, ou des hyperboles de rhétorique, ou des indécences, deux choses également opposées à la tendresse.

Si M. Racine fait dire à Titus[236],

> Depuis cinq ans entiers chaque jour je la vois,
> Et crois toujours la voir pour la première fois,

votre Dryden fait dire à Antoine :

« Ciel! comme j'aimai! Témoin les jours et les nuits qui suivaient en dansant sous vos pieds. Ma seule affaire était de vous parler de ma passion; un jour venait, et ne voyait rien qu'amour; un autre venait, et c'était l'amour encore. Les soleils étaient las de nous regarder, et moi, je n'étais point las de l'aimer. »

Il est bien difficile d'imaginer qu'Antoine ait en effet tenu de pareils discours à Cléopâtre.

Dans la même pièce, Cléopâtre parle ainsi à Antoine :

« Venez à moi, venez dans mes bras, mon cher soldat; j'ai été trop longtemps privée de vos caresses. Mais, quand je vous embrasserai; mais, quand vous serez tout à moi, je vous punirai de vos cruautés, en laissant sur vos lèvres l'impression de mes ardents baisers. »

Il est très vraisemblable que Cléopâtre parlait souvent dans ce goût; mais ce n'est point cette indécence qu'il faut représenter devant une audience respectable.

Quelques-uns de vos compatriotes ont beau dire : « C'est là la pure nature »; on doit leur répondre que c'est précisément cette nature qu'il faut voiler avec soin.

C'est ce voile qui fait le charme des honnêtes gens; il n'y a point pour eux de plaisir sans bienséance.

Les Français ont reconnu cette règle plus tôt que les autres peuples, non pas parce qu'ils sont *sans génie et sans hardiesse,* comme le dit ridiculement l'inégal et impétueux Dryden, mais parce que, depuis la régence d'Anne d'Autriche, ils ont été le peuple le plus sociable et le plus poli de la terre; et cette politesse n'est point une chose arbitraire, comme ce qu'on appelle civilité; c'est une loi de la nature qu'ils ont heureusement cultivée plus que les autres peuples[237].

Le traducteur de *Zaïre* a respecté presque partout ces bienséances théâtrales, qui vous doivent être communes comme a nous; mais il y a quelques endroits où il s'est livré encore à d'anciens usages.

Par exemple, lorsque, dans la pièce anglaise, Orosmane vient

---

235. *Dryden* (John) : écrivain anglais (1631-1700), « auteur plus fécond que judicieux qui aurait une réputation sans mélange, s'il n'avait fait que la dixième partie de ses ouvrages, et dont le grand défaut est d'avoir voulu être universel » (*Lettres philosophiques*, XVIII); **236.** Dans *Bérénice*, acte II, scène II; **237.** Voir Voltaire, *le Siècle de Louis XIV,* chapitre XXIX.

annoncer à Zaïre qu'il croit ne la plus aimer, Zaïre lui répond en se roulant par terre. Le sultan n'est point ému de la voir dans cette posture ridicule et de désespoir ; et, le moment d'après, il est tout étonné que Zaïre pleure.

Il dit cet hémistiche (acte IV, scène II) :

> Zaïre, vous pleurez[238]!

Il aurait dû lui dire auparavant

> Zaïre, vous vous roulez par terre!

Aussi ces trois mots : *Zaïre, vous pleurez,* qui font un grand effet sur notre théâtre, n'en ont fait aucun sur le vôtre, parce qu'ils étaient déplacés. Ces expressions familières et naïves tirent toute leur force de la seule manière dont elles sont amenées. *Seigneur, vous changez de visage,* n'est rien par soi-même ; mais le moment où ces paroles si simples sont prononcées dans *Mithridate* (acte III, scène VI) fait frémir.

Ne dire que ce qu'il faut, et de la manière dont il le faut, est, ce me semble, un mérite dont les Français, si vous m'en exceptez, ont plus approché que les écrivains des autres pays. C'est, je crois, sur cet art que notre nation doit en être crue. Vous nous apprenez des choses plus grandes et plus utiles : il serait honteux à nous de ne le pas avouer. Les Français qui ont écrit contre les découvertes du chevalier Newton sur la lumière en rougissent ; ceux qui combattent la gravitation en rougiront bientôt.

Vous devez vous soumettre aux règles de notre théâtre, comme nous devons embrasser votre philosophie. Nous avons fait d'aussi bonnes expériences sur le cœur humain que vous sur la physique. L'art de plaire semble l'art des Français et l'art de penser paraît le vôtre. Heureux, monsieur, qui, comme vous, les réunit!

---

238. Voir vers 1154 et la note.

■ QUESTIONS ■

■ Sur la « seconde épître dédicatoire ». — Indiquez les raisons qui ont pu inspirer à Voltaire cette « Seconde Épître » : réparer un outrage? remercier la nation anglaise en la personne de Falkener de la traduction de *Zaïre?*

— Pourquoi, dès le début, Voltaire rappelle-t-il que M. le chevalier Falkener est un commerçant?

— Quel jeu Voltaire souhaite-t-il pour les acteurs? Pourquoi tente-t-il de réhabiliter l'art de la déclamation?

— Quelle place devrait tenir l'amour dans les pièces de théâtre? Quelle place tient-il en réalité? Pourquoi? Dans quelles conditions Voltaire peut-il accepter la présence dans une œuvre? Comparez son opinion avec les théories de Corneille.

— En quoi l'œuvre d'art est-elle l'expression de la société où elle naît? Voltaire explique par des raisons sociales et historiques la différence entre le génie anglais et le génie français : quelles sont ces raisons? La caractéristique du génie français n'est-elle pas, pour Voltaire, la mesure? Là encore, n'est-ce pas une idée profondément classique?

le gait a petit pont.
Et disons tout q
quant grace nous
fist dieu le tout puissant
quant il nous deffen
Ci devise comment da
miete fu prinse.

uver la ou nous aunia
mes a pie et couuumes
sus a nos ennemis q
qui estoient a cheual.

Graut grace
nous fist
nostre seig
neur de da

miete que il nous de
luira. La quele nous
ne deussions pas auoir
pule sanz affamer. Et

Prise de Damiette par Saint Louis.
Chroniques de Joinville.
Paris, Bibliothèque nationale.

PERSONNAGES

OROSMANE — soudan de Jérusalem.

LUSIGNAN — prince du sang des rois de Jérusalem.

ZAÏRE
FATIME — esclaves du soudan.

NÉRESTAN
CHÂTILLON — chevaliers français.

CORASMIN
MÉLÉDOR — officiers du soudan.

UN ESCLAVE.

SUITE.

La scène est au sérail de Jérusalem.

ZAÏRE

Est etiam crudelis amor[239].

ACTE PREMIER

Scène première. — ZAÏRE, FATIME

FATIME

Je ne m'attendais pas, jeune et belle Zaïre,
Aux nouveaux sentiments que ce lieu vous inspire.
Quel espoir si flatteur, ou quels heureux destins,
De vos jours ténébreux ont fait des jours sereins?
5 La paix de votre cœur augmente avec vos charmes.
Cet éclat de vos yeux n'est plus terni de larmes :
Vous ne les tournez plus vers ces heureux climats[240]
Où ce brave Français devait guider nos pas ;
Vous ne me parlez plus de ces belles contrées
10 Où d'un peuple poli[241] les femmes adorées
Reçoivent cet encens que l'on doit à vos yeux :
Compagnes d'un époux et reines en tous lieux,
Libres sans déshonneur et sages sans contrainte,
Et ne devant jamais leurs vertus à la crainte!
15 Ne soupirez-vous plus pour cette liberté[242]?
Le sérail[243] d'un soudan[244], sa triste austérité,
Ce nom d'esclave enfin, n'ont-ils rien qui vous gêne[245]?
Préférez-vous Solyme[246] aux rives de la Seine?

---

239. « L'amour aussi a sa cruauté » ; 240. *Climat* : pays, contrée, sans idée de conditions atmosphériques ; 241. *Poli* : affiné, cultivé, civilisé (du latin *politus*, « rendre uni, lisse », « débarrassé de toute aspérité ») ; 242. Allusion à la liberté des femmes en France, par opposition à la réclusion des musulmanes, enfermées dans le sérail ; 243. *Sérail* : palais du sultan. Le nom est employé improprement à la place de *harem* pour désigner la partie du palais où les femmes étaient enfermées ; 244. *Soudan* : nom donné autrefois aux souverains de Syrie et d'Égypte. Le titre de *sultan* était réservé à l'empereur des Turcs et à certains princes musulmans ; 245. *Gêner* a le sens classique de « faire souffrir ». A la fin du xviie siècle, ce verbe a déjà beaucoup perdu de sa force ; 246. *Solyme* (ou encore *Hiérosolyme*) : nom grec de Jérusalem.

ZAÏRE

On ne peut désirer ce qu'on ne connaît pas[247].
20 Sur les bords du Jourdain[248] le ciel fixa nos pas.
Au sérail des soudans, dès l'enfance enfermée[249],
Chaque jour ma raison s'y voit accoutumée.
Le reste de la terre, anéanti pour moi,
M'abandonne au soudan qui nous tient sous sa loi[250] ;
25 Je ne connais que lui, sa gloire, sa puissance :
Vivre sous Orosmane est ma seule espérance ;
Le reste est un vain songe.

FATIME

Avez-vous oublié
Ce généreux[251] Français, dont la tendre amitié
Nous promit si souvent de rompre notre chaîne ?
30 Combien nous admirions son audace hautaine[252]!
Quelle gloire il acquit dans ces tristes[253] combats
Perdus par les chrétiens sous les murs de Damas !
Orosmane vainqueur, admirant son courage,
Le laissa sur sa foi[254] partir de ce rivage[255].
35 Nous l'attendons encor[256] ; sa générosité[257]
Devait payer le prix de notre liberté :
N'en aurions-nous conçu qu'une vaine espérance ?

---

247. Voir sur ce vers la « Seconde Epître dédicatoire », page 58. C'est une traduction du poème latin : *Ignoti nulla cupido.* 248. Le *Jourdain* coule à l'est de Jérusalem ; 249. Construction libre. Jusqu'au XVIIIᵉ siècle, le participe passé ne se rapporte pas obligatoirement au sujet ; 250. *Loi* : autorité, conditions imposées par le vainqueur au vaincu ; 251. *Généreux* : de noble nature, de nobles sentiments ; 252. *Hautain* : élevé, grand, sans idée de fierté arrogante. Ce sens est déjà vieilli au XVIIᵉ siècle ; 253. *Triste* a le sens classique de « malheureux », « funeste », qu'il tient du latin *tristis*, « de mauvais augure » ; d'où « fatal, cruel » ; 254. *Sur sa foi* : sur sa parole ; 255. *Rivage* a le sens classique de « région » ; ici Jérusalem ; 256. *Encor* : à cette heure, au sens étymologique (du latin *hinc ha hora*). Orthographe permise « en vers, surtout à la fin du vers et au repos des vers alexandrins » (Dictionnaire de Richelet, 1680) ; 257. *Générosité* : noblesse naturelle, grandeur d'âme.

QUESTIONS

● VERS 1-27. Par quels moyens Voltaire parvient-il à faire partager au spectateur la surprise de Fatime? Analysez le rythme des vers, la forme des verbes, les oppositions de termes. Pourquoi le *Français* (vers 8) et le *soudan* (vers 16) ne sont-ils pas nommés tout de suite? Sous quels aspects sont peintes la France? la Turquie? Pourquoi? Comment Zaïre apparaît-elle à travers les paroles de Fatime, puis à travers ses propres déclarations? Quelles raisons donne-t-elle à son revirement? Vous semblent-elles probantes? Que pensez-vous de l'influence de la coutume sur la formation des esprits (vers 21-22)?

ZAÏRE

Peut-être sa promesse a passé[258] sa puissance[259].
Depuis plus de deux ans, il n'est point revenu.
40 Un étranger, Fatime, un captif inconnu,
Promet beaucoup, tient peu, permet à son courage[260]
Des serments indiscrets[261] pour sortir d'esclavage.
Il devait délivrer dix chevaliers chrétiens,
Venir rompre leurs fers, ou reprendre les siens ;
45 J'admirai trop en lui cet inutile zèle ;
Il n'y faut plus penser.

FATIME

Mais, s'il était fidèle,
S'il revenait enfin dégager ses serments[262],
Ne voudriez-vous pas ?

ZAÏRE

Fatime, il n'est plus temps.
Tout est changé...

FATIME

Comment ? que prétendez-vous dire ?

ZAÏRE

50 Va, c'est trop te celer[263] le destin de Zaïre ;
Le secret du soudan doit encor se cacher ;
Mais mon cœur dans le tien se plaît à s'épancher.
Depuis près de trois mois qu'avec d'autres captives
On te fit du Jourdain abandonner les rives[264],

---

258. *Passer* (v. tr.) : dépasser, aller au-delà de ; **259.** *Puissance* : forces, moyens ; **260.** *Courage* a le sens classique de « cœur » ; **261.** *Indiscret* : sans discernement, irréfléchi. Ce sens est fréquent jusqu'à la fin du XVIIIe siècle ; **262.** *Dégager ses serments* : libérer la parole donnée en gage, en exécutant la chose promise ; **263.** *Celer* : cacher ; **264.** Fatime a sans doute été éloignée momentanément de Jérusalem.

——— **QUESTIONS** ———

● Vers 27-48. Pourquoi le *généreux Français* n'est-il toujours pas nommé ? Faites son portrait moral ainsi que celui d'Orosmane. Montrez les points communs aux deux personnages. Quel est le but poursuivi par Voltaire ? Zaïre ne révèle-t-elle pas une des raisons qui lui font « oublier » ses origines (vers 38-49) ? Quel est le comportement de Fatime ? En quoi s'oppose-t-il à celui de Zaïre ? Expliquez la différence d'attitude entre les deux esclaves en vous aidant de cette remarque de Voltaire : « Une autre esclave, nommée Fatime, née chrétienne, et mise en sérail à l'âge de dix ans, tâchait d'instruire Zaïre du peu qu'elle savait de la religion de ses pères » (*Lettre à M. de La Roque*, 1732). Voyez-vous d'autres raisons possibles à cette différence ?

55 Le ciel, pour terminer les malheurs de nos jours,
D'une main plus puissante a choisi le secours.
Ce superbe[265] Orosmane...

FATIME

Eh bien?

ZAÏRE

Ce soudan même,
Ce vainqueur des chrétiens... chère Fatime... il m'aime !
Tu rougis... je t'entends[266]... Garde-toi de penser
60 Qu'à briguer ses soupirs je puisse m'abaisser ;
Que d'un maître absolu la superbe[267] tendresse
M'offre l'honneur honteux du rang de sa maîtresse[268],
Et que j'essuie enfin l'outrage et le danger
Du malheureux éclat d'un amour passager ;
65 Cette fierté qu'en nous soutient la modestie,
Dans mon cœur à ce point ne s'est pas démentie.
Plutôt que jusque-là j'abaisse mon orgueil,
Je verrais sans pâlir les fers et le cercueil.
Je m'en vais[269] t'étonner[270] : son superbe[271] courage[272]
70 A mes faibles appas[273] présente un pur hommage :
Parmi tous ces objets[274] à lui plaire empressés,
J'ai fixé ses regards, à moi seule adressés ;
Et l'hymen[275], confondant[276] leurs intrigues fatales[277],
Me soumettra bientôt son cœur et mes rivales.

FATIME

75 Vos appas[278], vos vertus[279], sont dignes de ce prix ;

---

265. *Superbe* : « vain, orgueilleux » (Dictionnaire de l'Académie, 1694). Le mot tient son sens défavorable du latin *superbus*, « qui est au-dessus des autres » ; d'où, par dérivation péjorative, « qui s'affirme supérieur aux autres » ; **266.** *Entendre* tient du latin *intendere* (« tendre l'oreille, son esprit, vers une chose ») le sens de « comprendre, concevoir en son esprit, avoir l'intelligence de quelque chose » (Dictionnaire de l'Académie, 1694) ; **267.** *Superbe* : voir vers 57 et la note ; **268.** En réalité, de sa concubine. Mais ce mot ne respecterait pas les bienséances ; **269.** *S'en aller* est souvent employé pour *aller*, au XVIIe siècle (voir Corneille, *Clitandre*, vers 20) ; **270.** *Etonner* est pris au sens étymologique de « frapper du tonnerre » (du latin *extonare*) ; **271.** *Superbe* : voir vers 57 et la note ; **272.** *Courage* : voir vers 41 et la note ; **273.** *Appas* : attraits, charmes. La distinction actuelle, qui remonte au début du XVIIe siècle, entre *appât, appâts*, au sens propre, et *appas*, au sens figuré, ne repose sur rien. Les deux formes ont la même origine : le latin *adpastum*, « pâture apportée » pour attirer le poisson ; **274.** *Objet* : personne aimée ou digne de l'être. « Se dit [...] poétiquement des belles personnes qui donnent de l'amour : *C'est un bel objet, un objet charmant* » (Dictionnaire de Furetière, 1690) ; **275.** *Hymen* s'employait en poésie pour désigner le mariage (voir Racine, *Bérénice*, vers 295) ; **276.** *Confondre* : abattre, anéantir (voir Racine, *Bajazet*, vers 1109) ; **277.** *Fatal* : funeste ; **278.** *Appas* : voir vers 70 et la note ; **279.** *Vertus* : qualités, avantages (sens usuel au XVIIe siècle [voir Corneille, *Cinna*, vers 1248]).

Mon cœur en est flatté plus qu'il n'en est surpris ;
Que nos félicités, s'il se peut, soient parfaites.
Je me vois avec joie au rang de vos sujettes[280].

ZAÏRE

Sois toujours mon égale, et goûte mon bonheur :
80 Avec toi partagé[281], je sens mieux sa douceur[282].

FATIME

Hélas! puisse le ciel souffrir cet hyménée!
Puisse cette grandeur qui vous est destinée,
Qu'on nomme si souvent du faux nom de bonheur,
Ne point laisser de trouble au fond de votre cœur!
85 N'est-il point en secret de frein qui vous retienne?
Ne vous souvient-il plus que vous fûtes chrétienne?

ZAÏRE

Ah! que dis-tu! pourquoi rappeler mes ennuis[283]?
Chère Fatime, hélas! sais-je ce que je suis?
Le ciel m'a-t-il jamais permis de me connaître[284]?
90 Ne m'a-t-il pas caché le sang qui m'a fait naître?

FATIME

Nérestan, qui naquit non loin de ce séjour,
Vous dit que d'un chrétien vous reçûtes le jour.
Que dis-je! cette croix qui sur vous fut trouvée,
Parure de l'enfance, avec soin conservée,
95 Ce signe[285] des chrétiens, que l'art dérobe aux yeux

---

280. Réminiscence d'*Horace* : « Et [je] me compte déjà pour un de vos sujets » (vers 370) ; 281. Participe absolu (voir vers 21 et la note) ; 282. La Harpe remarque qu' « il serait beaucoup plus correct et plus élégant » d'employer dans de telles formules *en* à la place de *sa* « parce que la particule relative *en* convient plus proprement aux choses inanimées des deux personnes » ; 283. *Ennui* a le sens classique de « peine violente » (du latin *inodium*, « chose en butte à la haine », « chose odieuse, insupportable ») ; 284. *Se connaître* : avoir conscience de son état ; savoir qui l'on est (voir La Fontaine, *Psyché*, II) ; 285. *Signe* : marque distinctive.

QUESTIONS

● VERS 48-80. Comment s'explique l'ignorance de Fatime? Pourquoi Voltaire a-t-il retardé l'aveu de Zaïre? Montrez de quelle façon l'auteur est parvenu à rendre vraisemblable l'amour de Zaïre pour son maître Orosmane. Sur quoi se fonde le sentiment de la jeune fille? Etudiez-en les rapports avec l'estime (vers 57-58), la gloire (vers 67-68) et l'honneur (vers 61-62 et 73-74). La réponse de Fatime n'est-elle pas surprenante? Comment l'expliquez-vous? Commentez le *s'il se peut* du vers 77. Zaïre n'espérait-elle pas cette réponse? La crainte d'un blâme ne justifie-t-elle pas les hésitations de Zaïre à avouer son amour?

Sous le brillant éclat d'un travail précieux ;
Cette croix, dont cent fois mes soins vous ont parée,
Peut-être entre vos mains est-elle demeurée
Comme un gage secret de la fidélité
100 Que vous deviez au Dieu que vous avez quitté.

ZAÏRE

Je n'ai point d'autre preuve ; et mon cœur qui s'ignore[286]
Peut-il admettre un dieu que mon amant[287] abhorre ?
La coutume[288], la loi, plia mes premiers ans
A la religion des heureux[289] musulmans.
105 Je le vois trop : les soins qu'on prend de notre enfance
Forment nos sentiments, nos mœurs, notre croyance.
J'eusse été près du Gange esclave des faux dieux,
Chrétienne dans Paris, musulmane en ces lieux[290].
L'instruction fait tout ; et la main de nos pères
110 Grave en nos faibles[291] cœurs ces premiers caractères
Que l'exemple et le temps nous viennent retracer,
Et que peut-être en nous Dieu seul peut effacer.
Prisonnière en ces lieux, tu n'y fus renfermée
Que lorsque ta raison, par l'âge confirmée,
115 Pour éclairer ta foi te prêtait son flambeau :
Pour moi, des Sarrasins[292] esclave en mon berceau,
La foi de nos chrétiens me fut trop tard connue.

---

286. Mon cœur, qui ne m'avertit pas que je suis chrétienne ; **287.** *Amant :* « qui aime d'amour une personne d'un autre sexe » (Dictionnaire de l'Académie, 1694) et désire en être aimé ; **288.** *Coutume :* législation introduite par l'usage seul (voir La Fontaine, *Fables,* VII, XVI, vers 25) ; **289.** *Heureux* parce qu'ils sont vainqueurs et libres, par opposition aux chrétiens, vaincus et prisonniers ; **290.** Tour elliptique : tandis que je suis musulmane en ces lieux ; **291.** *Faible :* encore tendre et influençable ; **292.** *Sarrasins.* Ce mot désigne normalement les musulmans d'Europe et d'Afrique.

═══════ **QUESTIONS** ═══════════════════════════

● VERS 81-100. Quel est le sens des souhaits de Fatime ? Commentez l'expression *cette grandeur [...] Qu'on nomme si souvent du faux nom de bonheur* (vers 82-83). Les vers 82-83 ne sous-entendent-ils pas que l'ambition a sa part dans l'amour de Zaïre ? N'oubliez pas que l'ambition peut être une passion noble (voir le personnage de Cléopâtre dans *la Mort de Pompée* de Corneille) [par exemple les vers 431-432 et 623-624]). A quel sentiment de Zaïre Fatime fait-elle appel pour combattre l'amour ? En quoi le vers 87 est-il une réplique au vers 19 ? Etudiez le rythme des vers 87-90. Montrez qu'il traduit le désarroi de Zaïre. Quelle est la nature des preuves avancées par Fatime (vers 91-100) ? Font-elles appel à la raison ou au sentiment ? Sont-elles suffisantes pour emporter l'adhésion ? Pourquoi Fatime insiste-t-elle sur leur rapport avec le monde de l'enfance ?

Contre elle cependant, loin d'être prévenue[293],
Cette croix, je l'avoue, a souvent malgré moi
120 Saisi mon cœur surpris de respect et d'effroi[294] :
J'osais l'invoquer même avant qu'en ma pensée
D'Orosmane en secret l'image fût tracée.
J'honore, je chéris ces charitables lois
Dont ici Nérestan me parla tant de fois ;
125 Ces lois qui, de la terre écartant les misères,
Des humains attendris font un peuple de frères :
Obligés de s'aimer, sans doute[295] ils sont heureux.

FATIME

Pourquoi donc aujourd'hui vous déclarer contre eux ?
A la loi[296] musulmane à jamais asservie,
130 Vous allez des chrétiens devenir l'ennemie ;
Vous allez épouser leur superbe[297] vainqueur.

ZAÏRE

Qui lui refuserait le présent de son cœur ?
De toute ma faiblesse il faut que je convienne ;
Peut-être sans l'amour j'aurais été chrétienne ;
135 Peut-être qu'à ta loi[298] j'aurais sacrifié :
Mais Orosmane m'aime, et j'ai tout oublié.
Je ne vois qu'Orosmane, et mon âme enivrée
Se remplit du bonheur de s'en voir adorée.
Mets-toi devant les yeux sa grâce, ses exploits ;
140 Songe à ce bras puissant, vainqueur de tant de rois
A cet aimable[299] front que la gloire environne :
Je ne te parle point du sceptre qu'il me donne ;

---

293. *Prévenir :* bien ou mal disposer par avance envers quelqu'un. Ici, le verbe est pris dans un sens défavorable (voir Racine, *les Plaideurs*, vers 581). Pour la construction du participe passé, voir le vers 21 et la note ; **294.** Saisi de respect et d'effroi, mon cœur surpris ; **295.** *Sans doute :* sans aucun doute ; **296.** *Loi :* loi religieuse. Ensemble de commandements fondés sur la révélation divine ; **297.** *Superbe :* voir le vers 57 et la note ; **298.** *Ta loi :* la religion que tu suis ; **299.** *Aimable :* digne d'être aimé.

————— QUESTIONS —————

● Vers 101-127. Sur quoi, selon Zaïre, repose la croyance en une religion déterminée (vers 105-111 et 116-117) ? Montrez l'habileté de Voltaire à insérer dans la tragédie des thèmes qui lui sont chers. Comment est expliquée la différence d'attitude entre Zaïre et Fatime ? N'y a-t-il pas une volonté de réduire en partie à des influences sociales et historiques le phénomène religieux ? Pourtant Zaïre demeure attirée par la religion chrétienne : les raisons de cette attirance ne sont-elles pas, là encore, humaines (vers 125-127) ?

Non, la reconnaissance est un faible retour[300],
Un tribut offensant, trop peu fait pour l'amour.
145 Mon cœur aime Orosmane, et non son diadème ;
Chère Fatime, en lui je n'aime que lui-même[301].
Peut-être j'en crois trop un penchant si flatteur ;
Mais, si le ciel, sur lui déployant sa rigueur,
Aux fers que j'ai portés eût condamné sa vie,
150 Si le ciel sous mes lois eût rangé[302] la Syrie,
Ou mon amour me trompe, ou Zaïre aujourd'hui
Pour l'élever à soi[303] descendrait jusqu'à lui.

FATIME

On marche vers ces lieux ; sans doute c'est lui-même.

ZAÏRE

Mon cœur, qui le prévient[304], m'annonce ce que[305] j'aime.
155 Depuis deux jours, Fatime, absent[306] de ce palais,
Enfin son tendre amour le rend à mes souhaits.

Scène II. — OROSMANE, ZAÏRE, FATIME

OROSMANE

Vertueuse Zaïre, avant que l'hyménée
Joigne à jamais nos cœurs et notre destinée,

---

300. *Retour* : paiement, témoignage de gratitude. Voir sur ce vers la « Seconde Epître dédicatoire », page 58 ; **301.** Amour racinien. Voir par exemple *Bérénice*, vers 159-160 ; **302.** *Ranger sous*, comme *ranger à*, signifie « soumettre » ; **303.** *Soi.* Au XVIIᵉ siècle, le pronom réfléchi renvoyait au sujet de la proposition quel qu'il soit. Aujourd'hui, *soi* renvoie à un sujet indéterminé : « Chacun travaille pour soi » ; **304.** *Prévenir* : aller au-devant de, devancer ; **305.** *Ce que* : emploi classique pour *celui, celle que* ; **306.** Depuis qu'il est absent. Construction libre de l'adjectif qui ne se rapporte pas au sujet de la proposition, mais au possessif *son* (*son amour* : l'amour d'Orosmane).

--- **QUESTIONS** ---

● Vers 128-156. Dans ces conditions, pensez-vous que l'amour ait trouvé une grande opposition en l'âme de Zaïre ? (Comparez avec l'héroïne de *Polyeucte* : voir la scène II de l'acte III, et en particulier les vers 793 à 800.) Montrez que cet amour repose sur la considération de l'être aimé (vers 140-141), et qu'ainsi il échappe aux vicissitudes de l'histoire (vers 148-152). Quels sont ses ressemblances avec l'amour racinien ? avec l'amour cornélien ? Partagez-vous l'opinion de La Harpe : « L'amour tient ici (pour la première fois) le langage que lui a prêté Racine » ?

■ Sur l'ensemble de la scène première. — Montrez en quoi cette scène est une scène d'exposition. Analysez l'habileté de Voltaire à présenter clairement la situation et à conserver l'intérêt en laissant planer l'incertitude et le mystère.
(Suite, v. p. 71.)

J'ai cru, sur mes projets, sur vous, sur mon amour,
160 Devoir en musulman vous parler sans détour.
Les soudans, qu'à genoux cet univers contemple,
Leurs usages, leurs droits, ne sont point mon exemple ;
Je sais que notre loi, favorable aux plaisirs,
Ouvre un champ sans limite à nos vastes désirs ;
165 Que je puis à mon gré, prodiguant mes tendresses,
Recevoir à mes pieds l'encens de mes maîtresses ;
Et, tranquille au sérail, dictant mes volontés,
Gouverner mon pays du sein des voluptés.
Mais la mollesse est douce, et sa suite[307] est cruelle[308] :
170 Je vois autour de moi cent rois vaincus par elle ;
Je vois de Mahomet ces lâches successeurs,
Ces califes[309] tremblants dans leurs tristes grandeurs,
Couchés sur les débris de l'autel et du trône[310],
Sous un nom sans pouvoir languir dans Babylone[311] :
175 Eux qui seraient encore, ainsi que leurs aïeux,
Maîtres du monde entier, s'ils l'avaient été d'eux[312].
Bouillon[313] leur arracha Solyme[314] et la Syrie ;
Mais bientôt, pour punir une secte ennemie[315],
Dieu suscita le bras du puissant Saladin[316] ;
180 Mon père[317], après sa mort, asservit le Jourdain ;
Et moi, faible héritier de sa grandeur nouvelle,
Maître encore incertain d'un Etat qui chancelle,

---

307. *Suite* : conséquence, implication (voir Corneille, *Polyeucte*, vers 1334) ; **308.** Voir vers 80 ; **309.** *Calife* : titre porté, après la mort de Mahomet, par les souverains politiques et religieux de l'Empire musulman ; **310.** L'*autel* est le symbole de leur puissance religieuse, et le *trône* celui de leur puissance politique ; **311.** Le califat d'Orient (632-1258) ; il était établi à Bagdad, situé à environ 100 km au nord des ruines de Babylone (voir Racine, *Bajazet*, vers 1696) ; **312.** Ce vers rappelle le vers 1696 de *Cinna* : « Je suis maître de moi comme de l'univers » ; **313.** Godefroy de Bouillon, qui s'empara de Jérusalem en 1099 ; **314.** *Solyme* : voir vers 18 et la note ; **315.** *Une secte ennemie* : les chrétiens ; **316.** *Saladin*, premier sultan d'Egypte, reprit Jérusalem en 1187, après la victoire de Tibériade, où il avait fait prisonnier Guy de Lusignan, roi français de Jérusalem ; **317.** Le père d'Orosmane était Noradin, sultan de Syrie et d'Egypte. Il reprit aux chrétiens une partie de la Syrie.

━━━━━━━ **QUESTIONS** ━━━━━━━━━━━━━━━━━━━━

— Les personnages. Expliquez les contradictions dans le caractère de Zaïre en vous aidant de cette remarque de Voltaire : « Il me semble qu'on voit assez clairement, dès la première scène, que Zaïre serait chrétienne si elle n'aimait Orosmane. » Quel est le rôle de Fatime ? Sous quels aspects nous sont présentés Nérestan et Orosmane ?

— Les mœurs. Relevez dans cette scène les traits qui concernent, en réalité, les mœurs et les idées du XVIIIe siècle (voir les vers 9-14, 21-22, 105-116, 123-127).

Je vois ces fiers[318] chrétiens, de rapine altérés,
Des bords de l'Occident vers nos bords attirés ;
185 Et lorsque la trompette et la voix de la guerre[319]
Du Nil au Pont-Euxin[320] font retentir la terre[321],
Je n'irai point, en proie à de lâches amours,
Aux langueurs d'un sérail[322] abandonner mes jours.
J'atteste[323] ici la gloire[324], et Zaïre, et ma flamme,
190 De ne choisir que vous pour maîtresse et pour femme,
De vivre votre ami, votre amant, votre époux,
De partager mon cœur entre la guerre et vous.
Ne croyez pas non plus que mon honneur confie
La vertu d'une épouse à ces monstres d'Asie,
195 Du sérail des soudans[325] gardes injurieux,
Et des plaisirs d'un maître esclaves odieux[326].
Je sais vous estimer autant que je vous aime,
Et sur votre vertu me fier à vous-même[327].
Après un tel aveu, vous connaissez mon cœur ;
200 Vous sentez qu'en vous seule il a mis son bonheur.
Vous comprenez assez quelle amertume affreuse
Corromprait de mes jours la durée odieuse,
Si vous ne receviez les dons que je vous fais
Qu'avec ces sentiments que l'on doit aux bienfaits.
205 Je vous aime, Zaïre, et j'attends de votre âme

---

318. *Fier* : farouche, sauvage cruel (du latin *ferus*, « sauvage », « féroce ») ; 319. *La voix de la guerre* : les appels guerriers ; 320. *Pont-Euxin* : nom antique de la mer Noire, dans le style noble ; 321. Allusion à la septième croisade (1248-1254), conduite par Saint Louis contre l'Egypte ; 322. *Sérail* : voir vers 16 et la note ; 323. *J'atteste* : je promets en attestant ; 324. *Gloire* : honneur ; 325. *Soudan* : voir vers 16 et la note ; 326. Périphrase désignant les muets et les eunuques du sérail ; 327. Influence de la conception cornélienne de l'amour, où « l'estime naît de la considération des mérites » (O. Nadal). La *vertu* est la force morale née du mérite ; elle est la ferme disposition de l'âme à rester maîtresse d'elle-même.

━━━ QUESTIONS ━━━

● VERS 157-188. Nuancez l'opinion de Lessing, pour qui ce n'est pas l'amour, mais la galanterie qui a dicté *Zaïre* (*Dramaturgie de Hambourg*, « Seizième Soirée », 16 juin 1767), à l'aide de cette remarque de Brunetière, parlant des vers 156 à 160 : « C'est ainsi, qu'aux environs de 1730, à la cour de Louis XV encore jeune on déclarait son amour. » — Que reproche Orosmane aux traditions musulmanes (vers 161-164)? Quelle est sa conception de la religion? Ne répond-elle pas aux objections soulevées par Fatime à la scène précédente? Orosmane ne rejette-t-il pas les usages musulmans qui pouvaient choquer les bienséances et rendre incroyable l'amour de Zaïre (vers 161 à 166)? D'autre part, montrez que cet idéal religieux prend sa source dans une volonté d'élévation morale qui rappelle Corneille (vers 169 et 176). A quoi Orosmane attribue-t-il les déboires des musulmans?

Plan de Jérusalem au XIIe s., miniature flamande.

Cambrai, Bibliothèque municipale.

Un amour qui réponde à ma brûlante flamme[328].
Je l'avouerai, mon cœur ne veut rien qu'ardemment ;
Je me croirai haï d'être aimé[329] faiblement[330].
De tous mes sentiments tel est le caractère.
210 Je veux avec excès vous aimer et vous plaire.
Si d'un égal amour votre cœur est épris,
Je viens vous épouser, mais c'est à ce seul prix ;
Et du nœud de l'hymen l'étreinte dangereuse
Me rend infortuné, s'il ne vous rend heureuse[331].

ZAÏRE

215 Vous, seigneur, malheureux ! Ah ! si votre grand cœur
A sur mes sentiments pu fonder son bonheur,
S'il dépend en effet de mes flammes[332] secrètes,
Quel mortel fut jamais plus heureux que vous l'êtes !
Ces noms chers et sacrés et d'amant et d'époux,
220 Ces noms nous sont communs : et j'ai par-dessus vous[333]
Ce plaisir, si flatteur à ma tendresse extrême,
De tenir tout, seigneur, du bienfaiteur que j'aime ;
De voir que ses bontés font seules mes destins ;
D'être l'ouvrage heureux de ses augustes mains ;
225 De révérer, d'aimer un héros que j'admire.
Oui, si parmi les cœurs soumis à votre empire
Vos yeux ont discerné les hommages du mien,
Si votre auguste choix...

---

328. *Flamme* : amour, dans le style élevé (voir Racine, *Andromaque*, vers 40). Le mot s'emploie dans le même sens au pluriel ; **329.** *D'être aimé* : si j'étais aimé ; **330.** Voir sur ce vers la « Seconde Épître dédicatoire », page 58 ; **331.** La Harpe écrit à propos de ce vers : « *Etreinte dangereuse* n'est qu'un remplissage. *S'il* est encore une petite faute de grammaire. Le premier nominatif, *étreinte*, devait, dans la règle, régir encore le dernier membre de la phrase : *me rend infortuné, si elle ne vous rend heureuse* » ; **332.** *Flammes* : voir vers 206 et la note ; **333.** *Par-dessus vous* : en plus de ce que vous aurez.

━━━━━━━━ ● **QUESTIONS** ━━━━━━━━━━━━━━━━━━━━━━━━

● VERS 189-228. Quelle conception Orosmane se fait-il : *a)* de la femme (vers 197)? *b)* de l'amour (vers 192, 199-200, 205-207)? *c)* de la vie conjugale (vers 190-191, 198, 211-214)? — Complétez le portrait d'Orosmane, entrepris à la scène précédente. Analysez, à travers le style, l'exaltation amoureuse de Zaïre (rythme du vers, organisation de la phrase : anaphores, coupes, rejets, enjambements ; figures de style).

■ SUR L'ENSEMBLE DE LA SCÈNE II. — Etudiez la composition du discours d'Orosmane. Quels sont les arguments qui peuvent séduire Zaïre? Les sentiments et le langage d'Orosmane vous semblent-ils conformes au caractère d'un prince musulman?

— Quels sont les principaux traits de caractère d'Orosmane?

(Suite, v. p. 75.)

Scène III. — OROSMANE, ZAÏRE, FATIME, CORASMIN

CORASMIN

Cet esclave chrétien
Qui sur sa foi[334], seigneur, a passé[335] dans[336] la France,
230 Revient au moment même et demande audience.

FATIME

O ciel!

OROSMANE

Il peut entrer. Pourquoi ne vient-il pas?

CORASMIN

Dans la première enceinte il arrête ses pas[337].
Seigneur, je n'ai pas cru qu'aux regards de son maître
Dans ces augustes lieux un chrétien pût paraître.

OROSMANE

235 Qu'il paraisse. En tous lieux, sans manquer de respect
Chacun peut désormais jouir de mon aspect[338].
Je vois avec mépris ces maximes[339] terribles,
Qui font de tant de rois des tyrans invisibles[340].

Scène IV. — OROSMANE, ZAÏRE, FATIME, CORASMIN, NÉRESTAN

NÉRESTAN

Respectable ennemi qu'estiment les chrétiens,
240 Je reviens dégager mes serments[341] et les tiens;

---

334. *Foi :* voir vers 34 et la note ; **335.** *Passé dans la France :* été en France ; **336.** *Dans.* Au xviiᵉ siècle, on trouve *dans* au lieu de *en* devant les noms de pays ; **337.** *Il arrête ses pas :* périphrase noble pour « il s'arrête » (voir vers 8 : *guider nos pas*) ; **338.** *Jouir de mon aspect :* périphrase noble pour « me voir » ; **339.** *Maxime :* principe, règle de conduite ; **340.** *Invisible :* qu'on ne peut pas voir, inaccessible ; **341.** *Dégager ses serments :* voir vers 47 et la note.

QUESTIONS

— Quels sont les rapports entre les mœurs, la morale et la politique? N'est-ce pas une idée chère à Voltaire?

■ Sur la scène III. — Comment expliquer l'exclamation de Fatime et le silence de Zaïre?

— Qu'ajoute cette scène à la connaissance du caractère d'Orosmane?

J'ai satisfait à tout[342], c'est à toi d'y souscrire ;
Je te fais apporter la rançon de Zaïre,
Et celle de Fatime, et de dix chevaliers
Dans les murs de Solyme illustres prisonniers.
245 Leur liberté par moi trop longtemps retardée,
Quand je reparaîtrais leur dut[343] être accordée :
Sultan, tiens ta parole ; ils ne sont plus à toi,
Et dès ce moment même ils sont libres par moi.
Mais, grâces à mes soins, quand leur chaîne est brisée,
250 A t'en payer le prix ma fortune épuisée,
Je ne le cèle[344] pas, m'ôte l'espoir heureux
De faire ici pour moi ce que je fais pour eux.
Une pauvreté noble est tout ce qui me reste.
J'arrache des chrétiens à leur prison funeste ;
255 Je remplis[345] mes serments, mon honneur, mon devoir ;
Il me suffit : je viens me mettre en ton pouvoir ;
Je me rends prisonnier, et demeure en otage.

 OROSMANE

Chrétien, je suis content de ton noble courage[346] :
Mais ton orgueil ici se serait-il flatté[347]
260 D'effacer Orosmane en générosité[348] ?
Reprends ta liberté, remporte tes richesses,
A l'or de ces rançons joins mes justes largesses ;
Au lieu de dix chrétiens que je dus[349] t'accorder,
Je t'en[350] veux donner cent ; tu les[351] peux demander.
265 Qu'ils aillent sur tes pas apprendre à ta patrie
Qu'il est quelques vertus au fond de la Syrie ;
Qu'ils jugent, en partant, qui méritait le mieux,

---

342. *Satisfaire à tout* : faire tout ce qui est demandé par le devoir ; 343. *Dut* : devait (usage classique). Celui qui parle situe sa pensée au moment de l'action ; 344. *Celer* : voir vers 50 et la note ; 345. *Remplir* : réaliser pleinement, satisfaire à toutes les exigences d'une chose. Le verbe admet au XVIIe siècle des compléments très variés (*espoir, souhait, talent, nom, naissance*, etc.) ; 346. *Courage* : voir vers 41 et la note ; 347. *Se flatter de* : se donner de faux espoirs de ; 348. *Générosité* : voir vers 35 et la note ; 349. *Je dus* : je devais (voir vers 246 et la note) ; 350. Au XVIIIe siècle encore, les pronoms *en* et *y* se placent souvent entre le pronom personnel du verbe à l'infinitif et le verbe dont l'infinitif est complément ; 351. Le pronom personnel complément d'un infinitif lui-même complément d'un autre verbe se plaçait indifféremment devant le verbe conjugué ou devant l'infinitif.

━━━ QUESTIONS ━━━

● VERS 239-257. Quelle impression fait Nérestan sur le spectateur ? Montrez qu'il se comporte : *a)* avec honneur (vers 239-240) ; *b)* avec noblesse (vers 247-248) ; *c)* avec générosité (vers 255-257).

Des Français ou de moi, l'empire de ces lieux.
Mais, parmi ces chrétiens que ma bonté délivre,
270 Lusignan ne fut point réservé[352] pour te suivre :
De ceux qu'on peut te rendre il est seul excepté ;
Son nom serait suspect[353] à mon autorité :
Il est du sang français qui régnait à Solyme[354] ;
On sait son droit au trône, et ce droit est un crime :
275 Du destin qui fait tout tel est l'arrêt cruel :
Si j'eusse été vaincu, je serais criminel[355].
Lusignan dans les fers finira sa carrière,
Et jamais du soleil ne verra la lumière.
Je le plains ; mais pardonne à la nécessité
280 Ce reste de vengeance et de sévérité.
Pour Zaïre, crois-moi, sans que ton cœur s'offense,
Elle n'est pas d'un prix qui soit en ta puissance ;
Tes chevaliers français, et tous leurs souverains,
S'uniraient vainement pour l'ôter de mes mains.
285 Tu peux partir.

NÉRESTAN

       Qu'entends-je? Elle naquit chrétienne.
J'ai pour la délivrer ta parole et la sienne :
Et, quant à Lusignan, ce vieillard malheureux,
Pourrait-il...?

OROSMANE

       Je t'ai dit, chrétien, que je le[356] veux.
J'honore ta vertu ; mais cette humeur[357] altière,
290 Se faisant[358] estimer, commence à me déplaire :
Sors, et que le soleil levé sur mes Etats,
Demain près du Jourdain ne te retrouve pas.

                    (Nérestan sort.)

FATIME

O Dieu, secourez-nous !

OROSMANE

       Et vous, allez, Zaïre ;

---

352. *Réservé pour :* destiné à (voir Corneille, *Psyché,* vers 1762) ; 353. *Serait suspect :* ferait ombrage ; 354. Guy de Lusignan fut roi de Jérusalem de 1186 à 1187 ; 355. En effet, Lusignan est traité en criminel ; 356. *Le* est neutre : je veux cela ; 357. *Humeur :* caractère moral (voir Racine, *Britannicus,* vers 36) ; 358. Participe présent à valeur concessive : quoique se faisant estimer.

Prenez dans le sérail un souverain empire ;
295 Commandez en sultane ; et je vais ordonner[359]
La pompe d'un hymen[360] qui vous doit couronner.

Scène V. — OROSMANE, CORASMIN

OROSMANE

Corasmin, que veut donc cet esclave[361] infidèle[362]?
Il soupirait... ses yeux se sont tournés vers elle ;
Les as-tu remarqués ?

CORASMIN

Que dites-vous, seigneur ?
300 De ce soupçon jaloux écoutez-vous[363] l'erreur ?

OROSMANE

Moi jaloux ! qu'à ce point ma fierté s'avilisse !
Que j'éprouve l'horreur de ce honteux supplice !
Moi, que je puisse aimer comme l'on sait haïr !
Quiconque est soupçonneux invite à le trahir.
305 Je vois à l'amour seul ma maîtresse asservie ;
Cher Corasmin, je l'aime avec idolâtrie :
Mon amour est plus fort, plus grand que mes bienfaits
Je ne suis point jaloux... Si je l'étais jamais[364]...
Si mon cœur... Ah ! chassons cette importune idée :
310 D'un plaisir pur et doux mon âme est possédée.
Va, fais tout préparer pour ces moments heureux
Qui vont joindre ma vie à l'objet de mes vœux[365].
Je vais donner une heure aux soins de mon empire,
Et le reste du jour sera tout à Zaïre[366].

---

359. *Ordonner* : régler, disposer ; **360.** *Hymen* : voir vers 73 et la note ; **361.** *Cet esclave* : Nérestan ; **362.** *Infidèle* : qui n'a pas la vraie foi. Pour les musulmans, les chrétiens sont des infidèles, et réciproquement ; **363.** *Ecouter :* se laisser aller à ; **364.** « Ces mots terribles contiennent le germe de tout ce qu'on verra dans le rôle d'Orosmane » (La Harpe) ; **365.** *L'objet de mes vœux :* la femme que j'aime ; **366.** En fait, Orosmane va tenir un conseil qui durera tout l'acte suivant.

■ QUESTIONS ────────────────────────────

● Vers 258-296. Quel visage nouveau du monde musulman Orosmane veut-il donner aux chrétiens ? Sa générosité n'est-elle pas un témoignage de puissance ? Montrez qu'il ne cède pas à l'impulsion des sentiments, mais poursuit une politique concertée que guide la raison d'Etat (vers 279-280) ? Quelles touches les vers 288-292 peuvent-ils ajouter au portrait du personnage ?
(Sur les scènes IV, V, et sur l'ensemble de l'acte, v. p. 79.)

ACTE II

Scène première. — NÉRESTAN, CHÂTILLON

CHÂTILLON

315 O brave Nérestan, chevalier généreux[367],
    Vous qui brisez les fers de tant de malheureux,
    Vous, sauveur des chrétiens, qu'un Dieu sauveur envoie,
    Paraissez, montrez-vous! goûtez la douce joie
    De voir nos compagnons, pleurant à vos genoux,
320 Baiser l'heureuse main qui nous délivre tous.
    Aux portes du sérail[368], en foule, ils vous demandent ;
    Ne privez point leurs yeux du héros qu'ils attendent ;
    Et qu'unis à jamais sous notre bienfaiteur...

NÉRESTAN

    Illustre Châtillon, modérez cet honneur ;
325 J'ai rempli d'un Français le devoir ordinaire ;
    J'ai fait ce qu'à ma place on vous aurait vu faire.

CHÂTILLON

    Sans doute ; et tout chrétien, tout digne[369] chevalier,
    Pour sa religion se doit sacrifier ;
    Et la félicité des cœurs tels que les nôtres,
330 Consiste à tout quitter pour le bonheur des autres.
    Heureux à qui le ciel a donné le pouvoir
    De remplir comme vous un si noble devoir!

---

367. *Généreux* : voir vers 28 et la note ; 368. *Sérail* : voir vers 16 et la note ; 369. *Tout digne chevalier* : tout chevalier digne de ce nom.

━━━━ QUESTIONS ━━━━

■ Sur l'ensemble de la scène IV. — Comparez la fierté, la générosité, la courtoisie de Nérestan à celles d'Orosmane. Quelles différences les séparent? Comment les deux personnages se distinguent-ils sur le plan du langage? Relevez et analysez le vocabulaire.

— Pourquoi Zaïre n'est-elle pas intervenue? Comment l'auteur a-t-il réussi à exciter l'intérêt dramatique?

■ Sur la scène V. — Que nous révèle cette scène sur le caractère d'Orosmane? Analysez le désaccord entre les affirmations d'Orosmane et leur expression.

■ Sur l'ensemble de l'acte premier. — Que connaissons-nous des caractères? Par quelles valeurs profondes sont-ils unis en dépit de leurs divergences? Quel personnage nous reste-t-il à connaître?

— Sur quelle impression s'achève ce premier acte? Qu'attend le spectateur?

Pour nous, tristes jouets du sort qui nous opprime,
Nous, malheureux Français, esclaves dans Solyme[370],
335 Oubliés dans les fers, où longtemps, sans secours,
Le père d'Orosmane abandonna nos jours,
Jamais nos yeux sans vous ne reverraient la France.

NÉRESTAN

Dieu s'est servi de moi, seigneur : sa providence
De ce jeune Orosmane a fléchi la rigueur.
340 Mais quel triste[371] mélange altère ce bonheur!
Que de ce fier[372] soudan la clémence odieuse,
Répand sur ses bienfaits une amertume affreuse[373]!
Dieu me voit et m'entend; il sait si dans mon cœur
J'avais d'autres projets que ceux de sa grandeur.
345 Je faisais tout pour lui : j'espérais de[374] lui rendre
Une jeune beauté[375], qu'à l'âge le plus tendre
Le cruel Noradin[376] fit esclave avec moi,
Lorsque les ennemis de notre auguste foi,
Baignant de notre sang la Syrie enivrée[377],
350 Surprirent Lusignan[378] vaincu dans Césarée[379].
Du sérail[380] des sultans sauvé par des chrétiens,
Remis depuis trois ans dans mes premiers liens,
Renvoyé dans Paris sur ma seule parole,
Seigneur, je me flattais[381] (espérance frivole!)
355 De ramener Zaïre à cette heureuse cour
Où Louis[382] des vertus a fixé le séjour.

---

370. *Solyme :* voir vers 18 et la note; 371. *Triste :* voir vers 31 et la note; 372. *Fier :* voir vers 183 et la note; 373. La Harpe a blâmé ces vers parce que « les rimes en épithètes rendent la diction faible et défectueuse »; 374. *Espérer.* Au XVIIIᵉ siècle, ce verbe se construisait sans ou avec préposition (*à* ou *de*); *espérer de* suivi de l'infinitif avait le sens actuel d' « espérer » suivi de l'infinitif (voir par exemple Fénelon, *Télémaque,* IX); 375. *Jeune beauté,* expression galante admise dans le style tragique, désigne une jeune fille ou une jeune femme; 376. *Noradin :* voir vers 180 et la note; 377. *Enivrée de notre sang :* tournure blâmée par La Harpe comme cheville. Le sens du vers est « baignée de notre sang au point d'en être enivrée »; 378. Guy de Lusignan fut vaincu en 1187 à Tibériade par le célèbre Saladin; 379. *Césarée :* ville située au pied du Liban. Elle fut prise aux Sarrasins en 1138 par Raimond, prince d'Antioche, et perdue en 1169 à la suite d'une attaque de Noradin; 380. *Sérail :* voir vers 16 et la note; 381. *Se flatter :* voir vers 259 et la note; 382. Louis IX ou Saint Louis (1214-1270).

QUESTIONS

● VERS 315-337. Sur quoi repose l'estime de Châtillon pour Nérestan? Comment celui-ci est-il accueilli? Que pensez-vous de sa modestie? Montrez que la générosité des deux chevaliers français prend sa source et s'épanouit dans la foi.

Déjà même la reine, à mon zèle propice[383],
Lui tendait de son trône une main protectrice.
Enfin, lorsqu'elle touche au moment souhaité
360 Qui la tirait du sein de la captivité,
On la retient... Que dis-je! Ah! Zaïre elle-même,
Oubliant les chrétiens pour ce soudan[384] qui l'aime...
N'y pensons plus... Seigneur, un refus plus cruel
Vient m'accabler encor d'un déplaisir[385] mortel ;
365 Des chrétiens malheureux l'espérance est trahie.

CHÂTILLON

Je vous offre pour eux ma liberté, ma vie ;
Disposez-en, seigneur, elle vous appartient.

NÉRESTAN

Seigneur, ce Lusignan qu'à Solyme[386] on retient,
Ce dernier d'une race[387] en héros si féconde,
370 Ce guerrier dont la gloire avait rempli le monde,
Ce héros malheureux, de Bouillon descendu[388],
Aux soupirs des chrétiens ne sera point rendu.

CHÂTILLON

Seigneur, s'il est ainsi[389], votre faveur est vaine :
Quel indigne soldat voudrait briser sa chaîne,
375 Alors que dans les fers son chef est retenu?
Lusignan, comme à moi, ne vous[390] est pas connu.
Seigneur, remerciez le ciel, dont la clémence
A pour votre bonheur placé votre naissance
Longtemps après ces jours à jamais détestés,
380 Après ces jours de sang et de calamités,
Où je vis sous le joug de nos barbares maîtres,

---

383. *Propice* : favorable ; 384. *Soudan* : voir vers 16 et la note ; 385. *Déplaisir*. Au XVIIᵉ siècle, le mot a un sens très fort et signifie « désespoir », « chagrin », « tristesse » (voir Corneille, *le Cid*, vers 656) ; 386. *Solyme* : voir vers 18 et la note ; 387. Les enfants de Guy de Lusignan périrent au sac de Césarée ; 388. Guy de Lusignan devint roi de Jérusalem par son mariage avec Sibylle, descendante de Godefroy de Bouillon ; 389. *S'il est ainsi* : s'il en est ainsi, si cela est ; 390. *Connaître à* se rencontre en alternance avec *connaître de* aux XVIIᵉ et XVIIIᵉ siècles.

━━━ QUESTIONS ━━━

● Vers 338-365. Quel est l'intérêt de cette tirade pour le déroulement de l'action? Que nous apprend-elle? Pourquoi la défection de Zaïre accable-t-elle Nérestan? Que représentait la jeune fille? Pouvez-vous indiquer le nouveau trait de caractère de Nérestan qui nous est révélé ici (vers 362)?

Tomber ces murs sacrés conquis par nos ancêtres[391].
Ciel! si vous aviez vu ce temple abandonné,
Du Dieu que nous servons le tombeau profané ;
385 Nos pères, nos enfants, nos filles, et nos femmes
Au pied de nos autels expirant dans les flammes ;
Et notre dernier roi, courbé du faix[392] des ans,
Massacré sans pitié sur ses fils expirants[393]!
Lusignan, le dernier de cette auguste race,
390 Dans ces moments affreux[394] ranimant notre audace,
Au milieu des débris des temples renversés,
Des vainqueurs, des vaincus, et des morts entassés,
Terrible, et d'une main reprenant son épée
Dans le sang infidèle à tout moment trempée,
395 Et de l'autre à nos yeux montrant avec fierté
De notre sainte foi le signe redouté[395],
Criant à haute voix : « Français, soyez fidèles... »
Sans doute en ce moment, le couvrant de ses ailes,
La vertu[396] du Très-Haut, qui nous sauve aujourd'hui,
400 Aplanissait sa route, et marchait devant lui ;
Et des tristes[397] chrétiens la foule délivrée
Vint porter avec nous ses pas dans Césarée.
Là, par nos chevaliers, d'une commune voix
Lusignan fut choisi pour nous donner des lois[398].
405 O mon cher Nérestan, Dieu, qui nous humilie,
N'a pas voulu sans doute, en cette courte vie,
Nous accorder le prix qu'il doit à la vertu ;
Vainement pour son nom nous avons combattu.
Ressouvenir affreux[399], dont l'horreur me dévore!
410 Jérusalem en cendre, hélas! fumait encore,
Lorsque dans notre asile attaqués et trahis[400],
Et livrés par un Grec[401] à nos fiers[402] ennemis,
La flamme dont brûla Sion[403] désespérée
S'étendit en fureur aux murs de Césarée[404] :

---

391. Godefroy de Bouillon conquit Jérusalem en 1099. Saladin la reprit aux chrétiens en 1187 ; **392.** *Du faix* : par le faix, sous le faix ; **393.** En fait, Guy de Lusignan ne périt pas lors de la prise de Jérusalem et ses fils n'y furent pas tués. Ils moururent au siège d'Acre en 1192 ; **394.** *Affreux* : effroyable. « Qui épouvante : *Armée affreuse à voir* » (Dictionnaire de Richelet, 1680) ; **395.** *Le signe redouté* : la croix ; **396.** *Vertu* : « force » (Dictionnaire de Furetière, 1690). Voir Racine, *Athalie*, vers 94 ; **397.** *Triste* : voir vers 31 et la note ; **398.** Etre notre roi ; **399.** *Affreux* : voir vers 390 et la note ; **400.** Construction libre du participe, héritée de l'ablatif absolu latin ; **401.** Allusion au Grec Sinon, qui livra aux ennemis la ville de Troie ; **402.** *Fier* : voir vers 183 et la note ; **403.** *Sion* : colline de Jérusalem qui désigne par synecdoque la ville elle-même ; **404.** *Césarée* : voir vers 350 et la note.

415 Ce fut là le dernier de trente ans de revers[405] ;
Là, je vis Lusignan chargé d'indignes fers :
Insensible à sa chute et grand dans ses misères,
Il n'était attendri que des maux de ses frères.
Seigneur, depuis ce temps, ce père des chrétiens,
420 Resserré[406] loin de nous, blanchi dans ses liens,
Gémit dans un cachot, privé de la lumière,
Oublié de l'Asie et de l'Europe entière.
Tel est son sort affreux : qui pourrait aujourd'hui,
Quand il souffre pour nous, se voir heureux sans lui ?

NÉRESTAN

425 Ce bonheur, il est vrai, serait d'un cœur[407] barbare.
Que je hais le destin qui de lui nous sépare !
Que vers lui vos discours m'ont sans peine entraîné !
Je connais ses malheurs, avec eux je suis né :
Sans un trouble nouveau je n'ai pu les entendre ;
430 Votre prison, la sienne, et Césarée en cendre,
Sont les premiers objets, sont les premiers revers
Qui frappèrent mes yeux à peine encore[408] ouverts.
Je sortais du berceau ; ces images sanglantes
Dans vos tristes récits me sont encor présentes.
435 Au milieu des chrétiens dans un temple immolés,
Quelques enfants, seigneur, avec moi rassemblés
Arrachés[409] par des mains de carnage fumantes
Aux bras ensanglantés de nos mères tremblantes,
Nous fûmes transportés dans ce palais des rois,

---

405. Le dernier (revers) après trente années de revers ; **406.** *Resserrer* : garder étroitement. « Mettre plus à l'étroit : *Ce prisonnier a été resserré, on l'a ôté du préau pour le mettre en un cachot* [...] » (Dictionnaire de Furetière, 1690) ; **407.** Le fait d'un cœur barbare ; **408.** *Encore* : à ce moment-là (voir Corneille, *le Menteur*, vers 1072) ; **409.** Construction libre du participe héritée du participe absolu latin.

--- **QUESTIONS** ---

● Vers 366-424. Pourquoi le refus d'Orosmane de libérer Lusignan est-il plus durement ressenti par Nérestan ? Que représente le vieillard pour les chrétiens ? Un espoir ? un symbole ? Dites les raisons pour lesquelles la libération des captifs, sans leur chef, perd son sens. Comment Châtillon accueille-t-il cette humiliation divine (vers 405-408) ? — Analysez la description que fait Voltaire de la prise de Jérusalem et de Césarée. Pourquoi trace-t-il un tableau sanglant de l'entrée de Saladin à Jérusalem, alors qu'il insistait dans l'*Essai sur les mœurs* sur son caractère pacifique ? — « Quel effet produira sur nous la vue de ce vénérable vieillard [Lusignan] annoncé de cette manière ? » (La Harpe).

440 Dans ce même sérail[410], seigneur, où je vous vois.
   Noradin m'éleva près de cette Zaïre,
   Qui depuis... (pardonnez si mon cœur soupire),
   Qui depuis, égarée[411] en ce funeste[412] lieu,
   Pour un maître barbare[413] abandonna son Dieu.

CHÂTILLON

445 Telle est des musulmans la funeste prudence[414].
   De leurs chrétiens captifs ils séduisent[415] l'enfance ;
   Et je bénis le ciel, propice à nos desseins,
   Qui dans vos premiers ans vous sauva de leurs mains.
   Mais, seigneur, après tout cette Zaïre même,
450 Qui renonce aux chrétiens pour le soudan qui l'aime,
   De son crédit au moins nous pourrait secourir :
   Qu'importe de quel bras Dieu daigne se servir ?
   M'en croirez-vous ? Le juste, aussi bien que le sage,
   Du crime et du malheur sait tirer avantage.
455 Vous pourriez de Zaïre employer la faveur
   A fléchir Orosmane, à toucher son grand cœur,
   A nous rendre un héros que lui-même a dû plaindre,
   Que sans doute il admire, et qui n'est plus à craindre.

NÉRESTAN

   Mais ce même héros, pour briser ses liens,
460 Voudra-t-il qu'on s'abaisse à ces honteux moyens ?
   Et, quand il le voudrait, est-il en ma puissance
   D'obtenir de Zaïre un moment d'audience ?

---

410. *Sérail* : voir vers 16 et la note ; **411.** *Egarée* : sens à la fois physique (fourvoyé) et moral (l'esprit troublé) ; **412.** *Funeste* : triste, de mort, de deuil. « Qui cause la mort ou qui en menace » (Dictionnaire de Furetière, 1690) ; **413.** *Barbare* : au sens antique « de race étrangère » ; **414.** *Prudence* : vertu « qui enseigne à bien conduire sa vie et ses mœurs selon la droite raison » (Dictionnaire de Furetière, 1790). Ce mot tient ce sens étendu du latin *prudentia*, « qualité de l'homme qui prévoie, sait d'avance » ; **415.** *Séduire* : faire tomber dans l'erreur (voir Corneille, *Polyeucte*, vers 1551).

■■■ **QUESTIONS** ■■■

● VERS 425-444. Quel intérêt dramatique présente la reprise du récit du massacre par Nérestan ? En quoi son récit se distingue-t-il de celui de Châtillon ? Quel ton original prend-il ? Pourquoi ?

● VERS 445-471. Montrez l'adresse avec laquelle Châtillon plaide une cause délicate, celle de l'intervention d'une apostate auprès de son amant infidèle. Paraît-il assuré dans sa démarche ? Comment la justifie-t-il (vers 453-455) ? — Classez les arguments contraires de Nérestan. Montrez que ce dernier émet des réserves sur les plans religieux (vers 459-460), politique (vers 461-463), psychologique (vers 465-468) et moral (vers 469-471).

Croyez-vous qu'Orosmane y daigne consentir?
Le sérail à ma voix pourra-t-il se rouvrir?
465 Quand je pourrais enfin paraître devant elle,
Que faut-il espérer d'une femme infidèle,
A qui mon seul aspect doit tenir lieu d'affront,
Et qui lira sa honte écrite sur mon front?
Seigneur, il est bien dur, pour un cœur magnanime,
470 D'attendre des secours de ceux qu'on mésestime :
Leurs refus sont affreux[416], leurs bienfaits font rougir.

CHÂTILLON

Songez à Lusignan, songez à le servir.

NÉRESTAN

Eh bien!... Mais quels chemins jusqu'à cet infidèle
Pourront... On vient à nous. Que vois-je? O ciel! c'est elle.

Scène II. — ZAÏRE, CHÂTILLON, NÉRESTAN

ZAÏRE, *à Nérestan.*

475 C'est vous, digne Français, à qui je viens parler.
Le soudan le permet, cessez de vous troubler;
Et, rassurant mon cœur, qui tremble à votre approche,
Chassez de vos regards la plainte et le reproche.
Seigneur, nous nous craignons, nous rougissons tous
480 Je souhaite et je crains de rencontrer vos yeux.   [deux;
L'un à l'autre attachés[417] depuis notre naissance,
Une affreuse prison renferma notre enfance;
Le sort nous accabla du poids des mêmes fers,
Que la tendre amitié nous rendait plus légers[418].
485 Il me fallut depuis gémir de votre absence;
Le ciel porta vos pas aux rives de la France :
Prisonnier[419] dans Solyme[420] enfin je vous revis;

---

416. *Affreux :* voir vers 390 et la note; 417. Participe employé absolument (voir vers 21 et la note); 418. *Fers-légers :* rime pour l'œil; 419. *Prisonnier* se rapporte à *vous :* je vous revis prisonnier; 420. *Solyme :* voir vers 18 et la note.

———— ■ QUESTIONS ————

■ SUR L'ENSEMBLE DE LA SCÈNE PREMIÈRE. — En quoi la conversation de Nérestan et de Châtillon complète-t-elle l'exposition de la pièce?

— Comment Voltaire a-t-il préparé les deux scènes suivantes, et en particulier l'entrée de Lusignan?

— Analysez, à travers ce dialogue, deux conceptions de l'action politique.

Un entretien plus libre alors m'était permis.
Esclave dans la foule où j'étais confondue,
490 Aux regards du soudan je vivais inconnue :
Vous daignâtes bientôt, soit grandeur[421], soit pitié,
Soit plutôt digne effet d'une pure amitié,
Revoyant des Français le glorieux empire,
Y chercher la rançon de la triste[422] Zaïre :
495 Vous l'apportez : le ciel a trompé vos bienfaits ;
Loin de vous, dans Solyme, il m'arrête[423] à jamais.
Mais quoi que[424] ma fortune[425] ait d'éclat et de charmes,
Je ne puis vous quitter sans répandre des larmes.
Toujours de vos bontés je vais m'entretenir,
500 Chérir de vos vertus le tendre souvenir,
Comme vous des humains soulager la misère,
Protéger les chrétiens, leur tenir lieu de mère.
Vous me les rendez chers, et ces infortunés...

NÉRESTAN

Vous, les protéger ! vous qui les abandonnez !
505 Vous qui, des Lusignans foulant aux pieds la cendre[426]...

ZAÏRE

Je la viens honorer, seigneur ; je viens vous rendre
Le dernier de ce sang, votre amour, votre espoir :
Oui, Lusignan est libre, et vous l'allez revoir[427].

CHÂTILLON

O ciel ! Nous reverrions notre appui, notre père ?

NÉRESTAN

510 Les chrétiens vous devraient une tête si chère ?

ZAÏRE

J'avais sans espérance osé la demander :
Le généreux soudan veut bien nous l'accorder :
On l'amène en ces lieux.

---

421. *Grandeur* : grandeur d'âme ; 422. *Triste* : voir vers 31 et la note ; 423. *M'arrête* : me retient ; 424. *Quoi que :* quelque quantité de ; 425. *Fortune :* sort, destinée ; 426. Reniant leur mémoire ; 427. Voir vers 264 et la note.

――――― **QUESTIONS** ―――――――――――――

● Vers 475-502. Analysez les sentiments d'embarras et de sincérité qu'éprouve Zaïre en présence de Nérestan. Pourquoi la jeune fille rappelle-t-elle à Nérestan leur passé commun ?

NÉRESTAN

Que mon âme est émue!

ZAÏRE

Mes larmes, malgré moi, me dérobent sa vue :
515 Ainsi que ce vieillard, j'ai langui dans les fers :
Qui ne sait compatir aux maux qu'on a soufferts?

NÉRESTAN

Grand Dieu! que de vertu dans une âme infidèle[428]!

Scène III. — ZAÏRE, LUSIGNAN, CHÂTILLON, NÉRESTAN, PLUSIEURS ESCLAVES CHRÉTIENS

LUSIGNAN

Du séjour du trépas quelle voix me rappelle.
Suis-je avec des chrétiens? Guidez mes pas tremblants,
520 Mes maux m'ont affaibli plus encor que mes ans.
       (En s'asseyant.)
Suis-je libre en effet[429]?

ZAÏRE

                          Oui, seigneur, oui, vous l'êtes.

CHÂTILLON

Vous vivez, vous calmez nos douleurs inquiètes.
Tous nos tristes[430] chrétiens...

LUSIGNAN

                          O jour! ô douce voix!
Châtillon, c'est donc vous? c'est vous que je revois!

---

428. On se souvient du vers 1268 de *Polyeucte* : « Elle a trop de vertus pour n'être pas chrétienne » ; 429. *En effet :* en réalité ; 430. *Triste :* voir vers 31 et la note.

———— ■ QUESTIONS ————

● Vers 503-517. Montrez que la nouvelle annoncée par Zaïre est un « coup de théâtre ». Etudiez-en la préparation. Comment expliquez-vous que Nérestan rejoigne soudain Châtillon? Zaïre n'omet pas de nommer le *généreux soudan* : pourquoi? Qu'est-ce qui permet à Zaïre de comprendre Lusignan?

■ Sur l'ensemble de la scène ii. — Expliquez le changement d'attitude de Nérestan. A quelle héroïne de Corneille vous fait songer Zaïre?

— Au-delà des divergences politiques, sociales et religieuses, les personnages se trouvent réunis par la « vertu » et la « générosité » : n'est-ce pas une des constantes de l'œuvre de Voltaire? Citez des exemples.

525 Martyr[431], ainsi que moi, de la foi de nos pères,
　　Le Dieu que nous servons finit-il nos misères?
　　En quels lieux sommes-nous? Aidez mes faibles yeux.

CHÂTILLON

　　C'est ici le palais qu'ont bâti vos aïeux;
　　Du fils de Noradin c'est le séjour profane.

ZAÏRE

530 Le maître de ces lieux, le puissant Orosmane,
　　Sait connaître[432], seigneur, et chérir la vertu.
　　　　　　(En montrant Nérestan.)
　　Ce généreux Français, qui vous est inconnu,
　　Par la gloire[433] amené des rives[434] de la France,
　　Venait de dix chrétiens payer la délivrance :
535 Le soudan, comme lui gouverné par l'honneur,
　　Croit, en vous délivrant, égaler son grand cœur[435].

LUSIGNAN

　　Des chevaliers français tel est le caractère[436];
　　Leur noblesse en tout temps me fut utile et chère.
　　Trop digne chevalier, quoi! vous passez les mers
540 Pour soulager nos maux et pour briser nos fers?
　　Ah! parlez, à qui dois-je un service si rare?

NÉRESTAN

　　Mon nom est Nérestan; le sort longtemps barbare,
　　Qui dans les fers ici me mit presque en naissant,
　　Me fit quitter bientôt l'empire du Croissant[437].
545 A la cour de Louis[438], guidé par mon courage,
　　De la guerre sous lui j'ai fait l'apprentissage;

---

431. Vous qui avez été martyr. Adjectif construit librement selon l'usage classique (voir vers 155 et la note); 432. *Connaître* : reconnaître (sens courant au XVIIe siècle); 433. *Gloire* : voir vers 189 et la note; 434. *Rive* : contrée. « Se dit [...] des bords de plusieurs [...] choses. On dit la *rive* ou l'*orée* d'un bois, la rive d'un lit »; 435. Egaler la grandeur d'âme de Nérestan; 436. Ce vers est devenu « proverbialement plaisant » (Brunetière); 437. *L'empire du Croissant* : l'Empire turc, qui a pour emblème le croissant; 438. *Louis* : voir vers 356 et la note.

--------- **QUESTIONS** ---------

● Vers 518-541. Imaginez l'impression que doit produire l'apparition de Lusignan sur le spectateur. Quelle est la première pensée du vieillard? Comment l'expliquez-vous? Par quels liens sont unis Lusignan et Châtillon? Comment Zaïre essaie-t-elle, là encore, de faire accepter Orosmane? Y parvient-elle? Lusignan relève-t-il la comparaison?

Ma fortune et mon rang sont un don de ce roi,
Si grand par sa valeur, et plus grand par sa foi.
Je le suivis, seigneur, aux bords de la Charente,
550 Lorsque du fier Anglais la valeur menaçante,
Cédant à nos efforts trop longtemps captivés[439],
Satisfit en tombant aux lis[440] qu'ils[441] ont bravés[442].
Venez, prince, et montrez au plus grand des monarques
De vos fers glorieux les vénérables marques :
555 Paris va révérer le martyr de la croix,
Et la cour de Louis est l'asile des rois[443].

LUSIGNAN

Hélas! de cette cour j'ai vu jadis la gloire.
Quand Philippe[444] à Bovine enchaînait la victoire,
Je combattais, seigneur, avec Montmorency[445],
560 Melun, d'Estaing, de Nesle, et ce fameux Couci[446].
Mais à revoir Paris je ne dois plus prétendre :
Vous voyez qu'au tombeau je suis prêt à descendre :
Je vais au roi des rois[447] demander aujourd'hui
Le prix de tous les maux que j'ai soufferts pour lui.
565 Vous, généreux témoins de mon heure dernière,
Tandis qu'il en est temps, écoutez ma prière :
Nérestan, Châtillon, et vous... de qui les pleurs
Dans ces moments si chers[448] honorent mes malheurs,
Madame, ayez pitié du plus malheureux père
570 Qui jamais ait du ciel éprouvé la colère,
Qui répand devant vous des larmes que le temps

---

439. *Captivé* : tenu captif; **440.** *Lis* : la France. Les lis étaient les armes de la France; **441.** *Ils* : pronom pluriel qui représente le singulier collectif anglais (vers 550); **442.** Allusion aux batailles de Taillebourg et de Saintes (1242), gagnées par Saint Louis contre Henri III d'Angleterre; **443.** « C'est le mot du duc d'Orléans » (Beuchot); **444.** *Philippe.* Il s'agit de Philippe Auguste, qui battit à Bouvines, en 1214, l'empereur Othon IV d'Allemagne, le comte de Flandre Ferrand et leurs alliés; **445.** *Montmorency*, dit « le Grand Connétable », fut un des héros de Bouvines, ainsi qu'Adam, vicomte de Melun, de Nesle et de Dieudonné d'Estaing, qui sauva la vie de Philippe Auguste à Bouvines; **446.** *Couci* : Enguerrand III de Coucy, dit « le Grand ». Il fut un des chefs de la ligue formée par les seigneurs contre Blanche de Castille pendant la minorité de Saint Louis. On lui attribue la devise « Roi ne suis, ne prince, ne duc, ne comte aussy; je suis le sire de Coucy »; **447.** *Roi des rois* : expression biblique pour désigner Dieu; **448.** *Cher* : précieux (voir Racine, *Thébaïde*, vers 295).

--- QUESTIONS ---

● VERS 542-556. Pourquoi ce rappel du passé? En quoi est-il l'annonce d'un futur? Sur quels aspects de la cour de France insiste Nérestan? Quelle place tient le roi Saint Louis dans ses souvenirs?

Ne peut encor[449] tarir dans mes yeux expirants.
Une fille, trois fils, ma superbe[450] espérance,
Me furent arrachés dès leur plus tendre enfance :
575 O mon cher Châtillon, tu dois t'en souvenir!

CHÂTILLON

De vos malheurs encor vous me voyez frémir.

LUSIGNAN

Prisonnier avec moi dans Césarée en flamme,
Tes yeux virent périr mes deux fils et ma femme.

CHÂTILLON

Mon bras, chargé de fers, ne les put secourir.

LUSIGNAN

580 Hélas! et j'étais père, et je ne pus mourir[451]!
Veillez du haut des cieux, chers enfants que j'implore,
Sur mes autres enfants, s'ils sont vivants encore!
Mon dernier fils, ma fille, aux chaînes réservés,
Par des barbares mains pour servir[452] conservés[453],
585 Loin d'un père accablé, furent portés ensemble
Dans ce même sérail où le ciel nous rassemble.

CHÂTILLON

Il est vrai, dans l'horreur de ce péril nouveau,
Je tenais votre fille à peine en son berceau :
Ne pouvant la sauver, seigneur, j'allais moi-même
590 Répandre sur son front l'eau sainte du baptême,
Lorsque les Sarrasins, de carnage fumants,
Revinrent l'arracher à mes bras tout sanglants.
Votre plus jeune fils, à qui les destinées
Avaient à peine encore accordé quatre années,
595 Trop capable déjà de sentir son malheur,
Fut dans Jérusalem conduit avec sa sœur.

NÉRESTAN

De quels ressouvenir mon âme est déchirée!
A cet âge fatal[454] j'étais dans Césarée[455] :

---

449. *Encor* : voir vers 35 et la note ; 450. *Superbe* : qui s'élève au-dessus des autres ;
451. C'est un des vers célèbres de la pièce ; 452. *Servir* : être esclave, vivre en servitude (voir
Racine, *Andromaque*, vers 932) ; 453. *Conserver* : épargner, au sens latin de *servare* ;
454. *Fatal* : voir vers 73 et la note ; 455. *Césarée* : voir vers 350 et la note.

Et, tout couvert de sang et chargé de liens,
600 Je suivis en ces lieux la foule des chrétiens.

LUSIGNAN

Vous, seigneur!... Ce sérail éleva votre enfance?...
        (*En les regardant.*)
Hélas! de mes enfants auriez-vous connaissance?
Ils seraient de votre âge, et peut-être mes yeux...
Quel ornement[456], madame, étranger en ces lieux!
605 Depuis quand l'avez-vous?

ZAÏRE

                              Depuis que je respire,
Seigneur... Eh quoi! d'où vient que votre âme soupire?
        (*Elle lui donne la croix.*)

LUSIGNAN

Ah! daignez confier à mes tremblantes mains...

ZAÏRE

De quel trouble nouveau tous mes sens sont atteints!
        (*Il l'approche de sa bouche en pleurant.*)
Seigneur, que faites-vous?

LUSIGNAN

                              O ciel! ô Providence
610 Mes yeux, ne trompez point ma timide espérance!
Serait-il bien possible? Oui, c'est elle!... je voi[457]
Ce présent qu'une épouse avait reçu de moi,
Et qui de mes enfants ornait toujours la tête,
Lorsque de leur naissance on célébrait la fête.
615 Je revois... Je succombe à mon saisissement.

---

456. *Ornement.* Il s'agit de la croix de Zaïre ; **457.** *Voi* n'est pas une licence poétique, mais la forme étymologique. Dans ce verbe et dans quelques autres le *s* a été ajouté à la fin du xviie siècle par analogie à la 1re personne du singulier du présent de l'indicatif.

■ **QUESTIONS** ───────────────────────

● Vers 557-600. Analysez les raisons pour lesquelles Lusignan est désormais détaché des grandeurs terrestres. Cette attitude ne laisse-t-elle pas présager la mort prochaine du vieillard? Pourquoi Lusignan se retourne-t-il vers le passé? Quel est ce passé? Qu'est-ce qui le distingue de celui qui est rappelé par Nérestan? — En quoi est-il nécessaire, pour la suite de l'action, que Châtillon n'ait pas eu le temps de baptiser Zaïre? — Etudiez l'art avec lequel est préparé le moment de la reconnaissance.

ZAÏRE

Qu'entends-je? et quel soupçon m'agite en ce moment?
Ah! seigneur...

LUSIGNAN

        Dans l'espoir dont j'entrevois les charmes,
Ne m'abandonnez pas, Dieu qui voyez mes larmes!
Dieu mort sur cette croix, et qui revis pour nous,
620 Parle, achève, ô mon Dieu! ce sont là de tes coups[458].
Quoi! madame, en vos mains elle était demeurée?
Quoi! tous les deux captifs, et pris dans Césarée?

ZAÏRE

Oui, seigneur.

NÉRESTAN

    Se peut-il?

LUSIGNAN

            Leur parole, leurs traits,
De leur mère en effet sont les vivants portraits[459].
625 Oui, grand Dieu! tu le veux, tu permets que je voie...
Dieu, ranime mes sens trop faibles pour ma joie!
Madame... Nérestan... soutiens-moi, Châtillon...
Nérestan, si je dois vous nommer de ce nom[460],
Avez-vous dans le sein la cicatrice heureuse
630 Du fer dont à mes yeux une main furieuse...

NÉRESTAN

Oui, seigneur, il est vrai.

LUSIGNAN

      Dieu juste! heureux moments!

NÉRESTAN, *se jetant à genoux.*

Ah! seigneur! ah! Zaïre!

LUSIGNAN

      Approchez, mes enfants.

---

458. *Coup* se dit dans le style le plus contenu, même en parlant « des accidents extraordinaires qui sont des effets de la Providence, de quelque cause inconnue, de la fortune, du hasard » (Dictionnaire de Furetière, 1790). Voir La Fontaine, *Fables*, VII, XIII; **459.** Ils sont, par leur parole, leurs traits, les vivants portraits; **460.** Si je dois encore vous appeler de ce nom [...] avant de vous dire *mon cher fils* (vers 634).

NÉRESTAN

Moi, votre fils!

ZAÏRE

Seigneur!

LUSIGNAN

Heureux jour qui m'éclaire!
Ma fille, mon cher fils, embrassez votre père.

CHÂTILLON

635 Que d'un bonheur si grand mon cœur se sent toucher!

LUSIGNAN

De vos bras, mes enfants, je ne puis m'arracher.
Je vous revois enfin, chère et triste famille,
Mon fils, digne héritier... vous... hélas! vous, ma fille!
Dissipez mes soupçons, ôtez-moi cette horreur,
640 Ce trouble qui m'accable au comble du bonheur.
Toi qui seul as conduit sa fortune[461] et la mienne,
Mon Dieu qui me la rends, me la rends-tu chrétienne?
Tu pleures, malheureuse, et tu baisses les yeux!
Tu te tais! Je t'entends[462]! O crime, ô justes cieux!

ZAÏRE

645 Je ne puis vous tromper : sous les lois[463] d'Orosmane...
Punissez votre fille... elle était musulmane.

LUSIGNAN

Que la foudre en éclats ne tombe que sur moi!

---

461. *Fortune* : destinée. « [...] tout ce qui peut arriver de bien ou de mal à un homme » (Dictionnaire de l'Académie, 1694). Voir La Fontaine, *Fables*, I, xvi; **462.** *Je t'entends* : voir vers 59 et la note; **463.** *Lois* est employé ici au double sens de « fidélité religieuse » et de « fidélité amoureuse ».

━━━━━ **QUESTIONS** ━━━━━

● Vers 601-635. Indiquez la progression de la révélation, de la découverte de la croix (vers 604) à l'étreinte du père et de ses enfants (vers 634). Pourquoi Zaïre est-elle atteinte d'un *trouble nouveau* après avoir donné sa croix à Lusignan? Quel est l'intérêt dramatique des prières de Lusignan (vers 617-622 et 625-626)? Montrez, d'autre part, qu'elles mettent en valeur sa foi chrétienne, son émotion de retrouver ses enfants et son inquiétude d'être déçu.

● Vers 636-646. Quelle est la première inquiétude de Lusignan? Pourquoi le vieillard pose-t-il la question à sa fille par l'intermédiaire d'une invocation à Dieu (vers 641-642)? Est-ce la crainte, le remords ou une conversion soudaine qui amène Zaïre à désavouer la foi musulmane?

Ah! mon fils, à ces mots j'eusse expiré sans toi[464].
Mon Dieu! j'ai combattu soixante ans pour ta gloire;
650 J'ai vu tomber ton temple, et périr ta mémoire;
Dans un cachot affreux abandonné vingt ans,
Mes larmes[465] t'imploraient pour mes tristes[466] enfants :
Et, lorsque ma famille est par toi réunie,
Quand je trouve une fille, elle est ton ennemie!
655 Je suis bien malheureux... C'est ton père, c'est moi,
C'est ma seule prison qui t'a ravi ta foi[467].
Ma fille, tendre objet de mes dernières peines,
Songe au moins, songe au sang qui coule dans tes veines!
C'est le sang de vingt rois, tous chrétiens comme moi;
660 C'est le sang des héros, défenseurs de ma loi[468];
C'est le sang des martyrs... O fille encor trop chère,
Connais-tu ton destin? sais-tu quelle est ta mère?
Sais-tu bien qu'à l'instant que[469] son flanc mit au jour
Ce triste et dernier fruit d'un malheureux amour,
665 Je la vis massacrer par la main forcenée,
Par la main des brigands à qui tu t'es donnée!
Tes frères, ces martyrs égorgés à mes yeux,
T'ouvrent leurs bras sanglants, tendus du haut des cieux.
Ton Dieu que tu trahis, ton Dieu que tu blasphèmes,
670 Pour toi, pour l'univers, est mort en ces lieux mêmes[470],
En ces lieux où mon bras le servit tant de fois,
En ces lieux où son sang te parle par ma voix.
Vois ces murs, vois ce temple[471] envahi par tes maîtres :
Tout annonce le Dieu qu'ont vengé tes ancêtres.
675 Tourne les yeux, sa tombe[472] est près de ce palais :
C'est ici la montagne[473] où, lavant nos forfaits,
Il voulut expirer sous les coups de l'impie;
C'est là que de sa tombe, il rappela sa vie[474].
Tu ne saurais marcher dans cet auguste lieu,
680 Tu n'y peux faire un pas, sans y trouver ton Dieu;
Et tu n'y peux rester sans renier ton père,
Ton honneur qui te parle, et ton Dieu qui t'éclaire;
Je te vois dans mes bras et pleurer et frémir;

---

464. Si tu n'avais pas été là pour conserver un sens à ma vie; 465. Voir vers 21 et la note; 466. *Triste* : voir vers 31 et la note; 467. C'est uniquement à cause de moi, de la captivité où j'ai été réduit, que ta foi t'a été ravie; 468. *Loi* : voir vers 129 et la note; 469. *Que* : où son emploi est courant au XVIIᵉ siècle; 470. *Ces lieux mêmes* : Jérusalem, où se passe l'action de la pièce; 471. *Ce temple* : le cénacle; 472. *Sa tombe* : le Saint-Sépulcre; 473. *La montagne* : le Golgotha, au nord-ouest de Jérusalem; 474. Allusion à la résurrection du Christ.

le patriarche

la contesse de Jaffa

le maistre du temple

Guion de Lusignan

Guy de Lusignan couronné par Sibylle d'Anjou, comtesse de Jaffa.
Miniature du XVe s.

Paris, B. N.

Sur ton front pâlissant Dieu met le repentir :
685 Je vois la vérité dans ton cœur descendue ;
Je retrouve ma fille après l'avoir perdue ;
Et je reprends ma gloire et ma félicité
En dérobant mon sang à l'infidélité[475].

NÉRESTAN

Je revois donc ma sœur!... et son âme...

ZAÏRE

Ah! mon père,
690 Cher auteur de mes jours, parlez, que dois-je faire?

LUSIGNAN

M'ôter par un seul mot, ma honte et mes ennuis[476] ;
Dire : « Je suis chrétienne[477]. »

ZAÏRE

Oui... seigneur... je le suis.

LUSIGNAN

Dieu, reçois son aveu du sein de ton empire!

SCÈNE IV. — ZAÏRE, LUSIGNAN, CHÂTILLON,
NÉRESTAN, CORASMIN

CORASMIN

Madame, le soudan m'ordonne de vous dire
695 Qu'à l'instant de ces lieux il faut vous retirer,
Et de ces vils chrétiens surtout vous séparer.
Vous, Français, suivez-moi ; de vous je dois répondre.

---

475. *L'infidélité :* la religion des infidèles ; **476.** *Ennui :* voir vers 87 et la note ; **477.** Ce sont les termes de la profession de foi chrétienne.

QUESTIONS

● VERS 647-693. Lusignan s'adresse d'abord à Dieu : pourquoi est-il profondément *malheureux?* En quoi se sent-il responsable de l'apostasie de sa fille (vers 655-656)? A quels sentiments fait-il appel pour convaincre Zaïre? Montrez la progression continue du discours. Etudiez les procédés de l'anaphore, de l'antithèse et la gradation morale que l'on trouve dans l'énumération *(rois, héros, martyrs).* Quelle est l'importance de Jérusalem dans l'argumentation de Lusignan? Que représente la ville sainte? — La réponse de Zaïre vous semble-t-elle ferme (vers 692)?
(Sur l'ensemble de la scène III, v. p. 97.)

CHÂTILLON

Où sommes-nous, grand Dieu? Quel coup vient nous
[confondre?

LUSIGNAN

Notre courage, amis, doit ici s'animer.

ZAÏRE

700 Hélas! seigneur!

LUSIGNAN

O vous que je n'ose nommer,
Jurez-moi de garder un secret si funeste.

ZAÏRE

Je vous le jure.

LUSIGNAN

Allez, le ciel fera le reste.

── QUESTIONS ──────────

■ Sur l'ensemble de la scène III. — Etudiez l'art des préparations dans la première partie de la scène, puis indiquez comment Voltaire renouvelle l'intérêt de la scène après la reconnaissance.

— Que pensez-vous du procédé de la reconnaissance?

— Chateaubriand, étudiant cette scène dans le *Génie du christianisme* (II, 5), écrit : « Scène merveilleuse dont le ressort gît tout entier dans la morale évangélique et dans les sentiments chrétiens. [...] Si Lusignan ne rappelait à sa fille que des dieux heureux, les banquets et les joies de l'Olympe, cela serait d'un faible intérêt pour elle, et ne formerait qu'un dur contresens avec les tendres émotions que le poète cherche à exciter. Mais les malheurs de Lusignan, mais son sang, mais ses souffrances se mêlent aux malheurs, au sang et aux souffrances de Jésus-Christ. Zaïre pourrait-elle renier son Rédempteur au lieu même où il s'est sacrifié pour elle? La cause d'un père et celle d'un Dieu se confondent : les vieux ans de Lusignan, les tourments des martyrs deviennent une partie même de l'autorité de la religion : la Montagne et le Tombeau crient; ici tout est tragique : les lieux, l'homme et la Divinité. » Quel est votre avis? — Analysez le pathétique, à travers les procédés stylistiques (invocations, exclamations, interrogations, phrases inachevées ou rompues, anaphores), les gestes (vers 608 et 631) et la fluidité du vers, qui rappelle parfois Racine.

■ Sur la scène IV. — Comment s'explique le brusque revirement du soudan à l'égard des chrétiens (voir le vers 739)? Que pensez-vous des réactions des différents personnages? Pourquoi Lusignan n'ose-t-il pas nommer Zaïre?

— Analysez l'effet de contraste que produit cette scène.

■ Sur l'ensemble de l'acte II. — Montrez l'originalité de cet acte. Qu'est-ce qui lui donne sa tonalité particulière?

— Etudiez-en la composition, en montrant l'équilibre réalisé entre l'action et les temps de repos.

— Suivez l'évolution du personnage de Zaïre à travers tout l'acte.

ACTE III

Scène première. — OROSMANE, CORASMIN

OROSMANE

Vous étiez, Corasmin, trompé par vos alarmes[478] :
Non, Louis[479] contre moi ne tourne point ses armes ;
705 Les Français sont lassés de chercher désormais
Des climats[480] que pour eux le destin n'a point faits :
Ils n'abandonnent point leur fertile patrie
Pour languir aux déserts de l'aride Arabie[481]
Et venir arroser de leur sang odieux
710 Ces palmes[482] que pour nous Dieu fit croître en ces lieux.
Ils couvrent de vaisseaux la mer de la Syrie :
Louis, des bords de Chypre, épouvante l'Asie[483].
Mais j'apprends que ce roi s'éloigne de nos ports ;
De la féconde Egypte il menace les bords[484] :
715 J'en reçois à l'instant la première nouvelle ;
Contre les mamelucks[485] son courage l'appelle :
Il cherche Méledin[486], mon secret ennemi ;
Sur leurs divisions mon trône est affermi.
Je ne crains plus enfin l'Egypte ni la France.
720 Nos communs ennemis[487] cimentent ma puissance,
Et prodigues d'un sang qu'ils devraient ménager,
Prennent, en s'immolant le soin de me venger.
Relâche ces chrétiens, ami, je les délivre ;
Je veux plaire à leur maître, et leur permets de vivre :
725 Je veux que sur la mer on les mène à leur roi,
Que Louis me connaisse[488], et respecte ma foi[489].

---

478. *Alarmes.* Au pluriel, le mot, aux XVIIᵉ et XVIIIᵉ siècles, a, comme aujourd'hui, le sens d' « inquiétude causée par un danger soudain » ; 479. *Louis* : voir vers 356 et la note ; 480. *Climat* : pays, contrée ; 481. *Arabie* désigne ici la Syrie ; 482. *Palmes* : synecdoque pour *palmiers* ; 483. Allusion à la septième croisade (1248-1254). Saint Louis partit d'Aigues-Mortes, gagna Chypre, puis Damiette. Il fut battu et fait prisonnier à Mansourah, en 1250. Après son rachat, il demeura quatre ans en Palestine, où il s'occupa de restaurer et de fortifier les places qui restaient entre les mains des chrétiens (Césarée, Jaffa, Saint-Jean-d'Acre), ainsi que de racheter aux musulmans les prisonniers chrétiens ; 484. La flotte de Saint Louis, à Chypre depuis plusieurs mois, appareilla pour l'Egypte le 30 mai 1249 ; 485. *Mamelucks* : milice turco-égyptienne, à l'origine formée d'esclaves. Les mamelucks devinrent maîtres de l'Egypte et fondèrent une dynastie. Plus tard, ils furent battus par Bonaparte aux Pyramides (1798) et anéantis par Mohamed Ali (1811) ; 486. *Méledin* (ou Mélik-el-Kamel). Il régna sur l'Egypte de 1218 à 1221. La septième croisade fut dirigée contre son petit-fils Mélik-el-Moadham, qui battit Saint Louis à Mansourah. C'est ce dernier soudan que désigne en fait Voltaire. Les soudans d'Egypte et ceux de Syrie furent ennemis ; 487. L'ensemble de nos ennemis ; 488. *Me connaisse* : sache ma valeur ; 489. *Ma foi* : ma fidélité à ma parole.

Mène-lui Lusignan ; dis-lui que je lui donne
Celui que la naissance allie à sa couronne[490] ;
Celui que par deux fois mon père avait vaincu,
730 Et qu'il tint enchaîné tandis qu'il a vécu.

CORASMIN

Son nom, cher aux chrétiens...

OROSMANE

Son nom n'est point à
[craindre ;

CORASMIN

Mais, seigneur, si Louis...

OROSMANE

Il n'est plus temps de feindre
Zaïre l'a voulu ; c'est assez : et mon cœur,
En donnant Lusignan, le donne à mon vainqueur[491].
735 Louis[492] est peu pour moi ; je fais tout pour Zaïre ;
Nul autre sur mon cœur n'aurait pris cet empire.
Je viens de l'affliger, c'est à moi d'adoucir
Le déplaisir[493] mortel qu'elle a dû ressentir,
Quand, sur les faux avis des desseins de la France,
740 J'ai fait à ces chrétiens un peu de violence.
Que dis-je ! ces moments, perdus dans mon conseil,
Ont de ce grand hymen[494] suspendu l'appareil[495] :
D'une heure encore, ami, mon bonheur se diffère ;
Mais j'emploierai du moins ce temps à lui complaire.

---

490. Inexactitude historique. Voltaire, pour des raisons dramatiques, rattache les Lusignan à Saint Louis (voir vers 809, 847, 1071, 1080) ; **491.** Zaïre ; **492.** *Louis :* voir vers 356 et la note ; **493.** *Déplaisir :* voir vers 364 et la note ; **494.** *Hymen :* voir vers 73 et la note ; **495.** *Appareil :* « apprêt, préparatif » (Dictionnaire de l'Académie, 1694). *« L'entrée du Roi après son mariage s'est faite avec beaucoup d'appareil et de magnificence ; on travaille à l'appareil de son sacre. On dit aussi Un grand appareil de guerre »* (Dictionnaire de Furetière, 1690). Voir par exemple Racine, *Iphigénie,* vers 906, 977, et *Esther,* vers 863.

——— QUESTIONS ———

● Vers 703-730. Quelle place tient l'histoire dans l'intrigue ? La décision de Saint Louis sert-elle de toile de fond historique ou a-t-elle une importance réelle sur le déroulement de l'action ? De quelle façon Orosmane se représente-t-il le roi chrétien ? Sous quel jour la situation de celui-ci apparaît-elle ? Pourquoi Orosmane décide-t-il de relâcher les chrétiens ? Montrez l'habile politique (vers 725-726). Que cherche-t-il à obtenir ? N'est-ce pas une idée chère à Voltaire ?

745 Zaïre ici demande un secret entretien
Avec ce Nérestan, ce généreux chrétien...

CORASMIN

Et vous avez, seigneur, encor cette indulgence?

OROSMANE

Ils ont été tous deux esclaves dans l'enfance ;
Ils ont porté mes fers, ils ne se verront plus ;
750 Zaïre enfin de moi n'aura point un refus.
Je ne m'en défends point ; je foule aux pieds pour elle
Des rigueurs du sérail[496] la contrainte cruelle.
J'ai méprisé ces lois dont l'âpre austérité
Fait d'une vertu triste[497] une nécessité[498].
755 Je ne suis point formé du sang asiatique :
Né parmi les rochers, au sein de la Taurique[499],
Des Scythes[500] mes aïeux je garde la fierté,
Leurs mœurs, leurs passions, leur générosité[501] :
Je consens qu'[502]en partant Nérestan la revoie ;
760 Je veux que tous les cœurs soient heureux de ma joie.
Après ce peu d'instants volés à mon amour,
Tous ses moments, ami, sont à moi sans retour.
Va, ce chrétien attend, et tu peux l'introduire ;
Presse son entretien, obéis à Zaïre.

---

496. *Sérail* : voir vers 16 et la note ; **497.** *Triste* : voir vers 31 et la note ; **498.** Les femmes du sultan étaient enfermées dans le sérail, dont l'accès était interdit à tous les étrangers ; **499.** *La* (Chersonèse) *Taurique* : l'ancien nom de la Crimée ; **500.** *Scythes* : nom générique des anciens peuples qui occupaient, selon l'historien grec Hérodote, le sud-est de l'Europe et le nord-ouest de l'Asie, entre l'Ister (Danube) et le Tanaïs (Don). A l'époque de la septième croisade, les Scythes, absorbés ou conquis par les Sarmates, n'existaient plus depuis près de quinze siècles ; **501.** L'historien latin Quinte-Curce leur fait dire dans son *Histoire d'Alexandre* (VIII, VIII, 33) : « Nous ne souffrons aucun maître et ne désirons asservir personne. Le ciel nous a fait don d'un attelage de bœufs, d'une charrue, d'une coupe, d'une flèche et d'une lance. Nous partageons avec nos amis nos moissons, fruits du travail de nos bœufs ; dans la coupe, nous offrons en leur compagnie des libations aux dieux. » Voici l'opinion de Voltaire historien, dans l'*Essai sur les mœurs* (XIV) : « Les Scythes sont ces mêmes barbares que nous avons depuis appelés Tartares ; ce sont ceux-là mêmes qui, longtemps avant Alexandre, avaient ravagé plusieurs fois l'Asie, et qui ont été les déprédateurs d'une grande partie du continent. Tantôt, sous le nom de Moguls ou de Huns, ils ont asservi la Chine et les Indes, tantôt, sous le nom de Turcs, ils ont chassé les Arabes qui avaient conquis une partie de l'Asie. C'est de ces vastes campagnes que partirent les Huns pour aller jusqu'à Rome. Voilà ces hommes désintéressés et justes dont nos compilateurs vantent encore aujourd'hui l'équité quand ils copient Quinte-Curce » ; **502.** *Je consens* (à ce) *que*. Au XVIIᵉ siècle, le verbe *consentir* pouvait se construire directement ou avec la préposition *de* et l'infinitif : « Il consent l'hyménée » (Corneille, *Sertorius*, vers 1561) ; « Je consens d'oublier le passé » (Racine, *Andromaque*, vers 1344).

QUESTIONS

Vers 731-764 et sur la scène première. v. p. 101.

Scène II. — CORASMIN, NÉRESTAN

CORASMIN

765 En ces lieux, un moment, tu peux encor rester.
Zaïre à tes regards viendra se présenter.

Scène III. — NÉRESTAN

En quel état, ô ciel! en quels lieux je la laisse!
O ma religion! ô mon père! ô tendresse!
Mais je la vois.

Scène IV. — ZAÏRE, NÉRESTAN

NÉRESTAN

Ma sœur, je puis donc vous parler;
770 Ah! dans quel temps le ciel nous voulut[503] rassembler!
Vous ne reverrez plus un trop malheureux père.

ZAÏRE

Dieu! Lusignan?...

NÉRESTAN

Il touche à son heure dernière.
Sa joie, en nous voyant, par de trop grands efforts
De ses sens affaiblis a rompu les ressorts[504];
775 Et cette émotion dont son âme est remplie

---

503. Voir le vers 264 et la note; **504.** *Ressorts*, au pluriel, « se dit de causes inconnues par lesquelles la nature agit : *La vie des animaux s'entretient par de secrets et merveilleux ressorts* [...]. *Personne ne doit pénétrer dans les ressorts de la Providence* » (Dictionnaire de Furetière, 1690). Voir Racine, *Esther*, vers 29, et *Iphigénie*, vers 362.

──────── QUESTIONS ────────

● Vers 731-746. Comment Orosmane concilie-t-il ses intérêts politiques et son amour pour Zaïre? Quel sens donnez-vous au vers 735?

● Vers 747-764. De quelle manière Orosmane se justifie-t-il d'autoriser l'entrevue entre Nérestan et Zaïre? La jalousie ne se fait-elle pas jour à certains moments? Comment explique-t-il son attitude (vers 755-762)? Les rapports des mœurs et du climat : n'est-ce pas, là encore, une idée chère à Voltaire? Dans quels autres textes de l'écrivain l'avez-vous rencontrée?

■ Sur l'ensemble de la scène première. — L'Orosmane politique et l'Orosmane amoureux : peut-on les distinguer?

— Cette première scène apporte-t-elle une idée nouvelle de la générosité des sentiments chez Orosmane?

A bientôt épuisé les sources de sa vie.
Mais, pour comble d'horreur, à ses derniers moments,
Il doute de sa fille et de ses sentiments ;
Il meurt dans l'amertume, et son âme incertaine[505]
780 Demande en soupirant si vous êtes chrétienne.

ZAÏRE

Quoi! je suis votre sœur, et vous pouvez penser
Qu'à mon sang[506], à ma loi[507] j'aille ici renoncer?

NÉRESTAN

Ah! ma sœur, cette loi n'est pas la vôtre encore ;
Le jour qui vous éclaire est pour vous à l'aurore ;
785 Vous n'avez point reçu ce gage précieux
Qui nous lave du crime et nous ouvre les cieux[508].
Jurez par nos malheurs et par votre famille,
Par ces martyrs sacrés de qui vous êtes fille,
Que vous voulez ici recevoir aujourd'hui
790 Le sceau du Dieu vivant qui nous attache à lui.

ZAÏRE

Oui, je jure en vos mains, par ce Dieu que j'adore,
Par sa loi que je cherche, et que mon cœur ignore,
De vivre désormais sous cette sainte loi...
Mais, mon cher frère... hélas! que veut-elle de moi?
795 Que faut-il?

NÉRESTAN

Détester l'empire[509] de vos maîtres ;
Servir, aimer ce Dieu qu'ont aimé nos ancêtres,
Qui, né près de ces murs, est mort ici pour nous,
Qui nous a rassemblés, qui m'a conduit vers vous.
Est-ce à moi d'en parler? Moins instruit que fidèle,
800 Je ne suis qu'un soldat, et je n'ai que du zèle.
Un pontife[510] sacré viendra jusqu'en ces lieux

---

505. *Incertain* : qui est dans le doute ; **506.** *Sang* : race ; **507.** *Loi* : voir vers 129 et la note ;
508. Nérestan fait allusion au baptême. La Harpe commente ainsi ce vers : « Disconvenance
dans les expressions. Un gage ne peut ni *laver* ni *ouvrir* » ; **509.** *Empire* : autorité absolue.
Nérestan fait allusion à l'autorité morale et religieuse qu'Orosmane a exercée sur Zaïre ;
510. *Pontife* : prêtre, dans le style noble.

QUESTIONS

● Vers 769-780. Etudiez la progression du pathétique.

« Mon Dieu qui me la rends, me la rends-tu chrétienne? »
(Acte III, scène III.)

Gravure par Trière, d'après Moreau le Jeune.

Vous apporter la vie, et dessiller[511] vos yeux[512].
Songez à vos serments, et que[513] l'eau du baptême
Ne vous apporte point la mort et l'anathème[514].
805 Obtenez qu'avec lui[515] je puisse revenir.
Mais à quel titre, ô ciel! faut-il donc l'obtenir?
A qui le demander dans ce sérail[516] profane?
Vous, le sang de vingt rois, esclave d'Orosmane!
Parente de Louis[517], fille de Lusignan,
810 Vous, chrétienne et ma sœur, esclave d'un soudan!
Vous m'entendez[518]... je n'ose en dire davantage :
Dieu, nous réserviez-vous à ce dernier outrage?

ZAÏRE

Ah! cruel! poursuivez, vous ne connaissez pas
Mon secret, mes tourments, mes vœux, mes attentats.
815 Mon frère, ayez pitié d'une sœur égarée,
Qui brûle, qui gémit, qui meurt désespérée.
Je suis chrétienne, hélas!... j'attends avec ardeur
Cette eau sainte, cette eau qui peut guérir mon cœur.
Non, je ne serai point indigne de mon frère,
820 De mes aïeux, de moi, de mon malheureux père.
Mais parlez à Zaïre, et ne lui cachez rien :
Dites... quelle est la loi de l'empire chrétien?...
Quel est le châtiment pour une infortunée
Qui loin de ses parents, aux fers[519] abandonnée,
825 Trouvant chez un barbare[520] un généreux appui,
Aurait touché son âme et s'unirait à lui?

NÉRESTAN

O ciel! que dites-vous? Ah! la mort la plus prompte
Devrait...

ZAÏRE

C'en est assez; frappe, et préviens[521] ta honte.

---

511. *Dessiller* : découdre les paupières du faucon (au sens propre); 512. On trouve dans *Polyeucte* (vers 46) la même expression appliquée au baptême, « qui purgeant notre âme et dessillant nos yeux nous rend le premier droit que nous avions aux cieux »; 513. Anacoluthe : et faites en sorte que; 514. *Anathème* : malédiction; 515. *Lui* renvoie à *pontife sacré*; 516. *Sérail* : voir vers 16 et la note; 517. *Louis* : voir vers 728 et la note; 518. *Entendre* : voir vers 59 et la note; 519. *Fers*, au pluriel, signifie « servitude », « esclavage » (Racine, *Andromaque*, vers 931); 520. *Barbare* : homme d'une race étrangère. Le mot a un sens péjoratif; 521. *Prévenir* : devancer, ne pas laisser le temps de s'accomplir.

QUESTIONS

Questions vers 781-826, v. p. 105.

NÉRESTAN

Qui? vous, ma sœur?

ZAÏRE

C'est moi que je viens d'accuser.
830 Orosmane m'adore... et j'allais l'épouser...

NÉRESTAN

L'épouser! Est-il vrai, ma sœur, est-ce vous-même?
Vous, la fille des rois?

ZAÏRE

Frappe, dis-je; je l'aime.

NÉRESTAN

Opprobre malheureux du sang dont vous sortez,
Vous demandez la mort, et vous la méritez :
835 Et, si je n'écoutais que ta honte et ma gloire[522],
L'honneur de ma maison, mon père, sa mémoire ;
Si la loi de ton Dieu, que tu ne connais pas,
Si ma religion ne retenait mon bras,
J'irais dans ce palais, j'irais, au moment même,
840 Immoler de ce fer[523] un barbare[524] qui t'aime,
De son indigne flanc le plonger dans le tien,
Et ne l'en retirer que pour percer le mien,
Ciel! tandis que Louis, l'exemple de la terre,
Au Nil épouvanté[525] ne va porter la guerre
845 Que pour venir bientôt, frappant des coups plus sûrs,
Délivrer ton Dieu même, et lui rendre ces murs[526] ;

---

522. *Gloire* : honneur; 523. *Fer* s'employait très souvent en poésie pour désigner une arme : « J'ai vu, le fer en main, Etéocle lui-même » (Racine, *Thébaïde*, vers 11) ; 524. *Barbare* : voir vers 825 et la note; 525. *Nil* : métonymie, pour *Egyptiens*; 526. Voltaire historien est moins péremptoire : « Il est difficile de voir pourquoi le roi de France choisissait l'Egypte pour le théâtre de la guerre » (*Essai sur les mœurs*, chapitre LVIII).

■ QUESTIONS

● Vers 781-812. L'acte du baptême est au centre du passage. En vous souvenant de *Polyeucte*, dites pourquoi? Montrez qu'il est, pour Zaïre, un moyen de renouer avec son passé, qu'il est à la fois une source de vie et de mort, et la représentation même de la situation tragique dans laquelle elle se trouve. — Comment Voltaire est-il parvenu à peindre l'émotion de Nérestan? Etudiez le rythme de la tirade.

● Vers 813-826. De quelle façon l'auteur a-t-il réussi à rendre le désarroi de la jeune fille? Par quels arguments Zaïre essaie-t-elle de toucher Nérestan (voir en particulier les vers 823-826)? Quelles sont les intentions dramatiques et humaines de Voltaire?

Zaïre cependant[527], ma sœur, son alliée[528],
Au tyran d'un sérail[529] par l'hymen[530] est liée!
Et je vais donc apprendre à Lusignan trahi
850 Qu'un Tartare[531] est le dieu que sa fille a choisi!
Dans ce moment affreux[532], hélas! ton père expire,
En demandant à Dieu le salut de Zaïre.

ZAÏRE

Arrête, mon cher frère... arrête, connais-moi[533];
Peut-être que Zaïre est digne encor de toi.
855 Mon frère, épargne-moi cet horrible langage;
Ton courroux, ton reproche est un plus grand outrage,
Plus sensible pour moi, plus dur que ce trépas
Que je te demandais, et que je n'obtiens pas.
L'état où tu me vois accable ton courage;
860 Tu souffres, je le vois; je souffre davantage.
Je voudrais que du ciel le barbare secours
De mon sang, dans mon cœur, eût arrêté le cours,
Le jour qu'[534]empoisonné d'une flamme[535] profane,
Ce pur sang des chrétiens brûla pour Orosmane,
865 Le jour que de ta sœur Orosmane charmé[536]...
Pardonnez-moi, chrétiens : qui ne l'aurait aimé?
Il faisait tout pour moi; son cœur m'avait choisie;
Je voyais sa fierté pour moi seule adoucie.
C'est lui qui des chrétiens a ranimé l'espoir;
870 C'est à lui que je dois le bonheur de te voir.
Pardonne : ton courroux, mon père, ma tendresse,

---

527. *Cependant* : pendant ce temps; **528.** *Allié* : parent (voir le vers 728 et la note); **529.** *Sérail* : voir vers 16 et la note; **530.** *Hymen* : voir vers 73 et la note; **531.** *Tartare.* Au XVIIIe siècle, on croyait que les Scythes étaient d'origine mongole. Cette opinion est aujourd'hui abandonnée. « Les Scythes sont ces mêmes barbares que nous avons depuis appelés Tartares » (Voltaire, *Essai sur les mœurs,* chapitre XIV). Voir vers 757 et la note; **532.** *Affreux* : voir vers 390 et la note; **533.** Apprends à connaître qui je suis; **534.** Après un substantif ou un adverbe marquant le temps, le lieu et la manière, on employait dans la langue du XVIIe siècle le relatif adverbial *que;* **535.** *Flamme* : voir vers 206 et la note; **536.** *Charmé* : pris sous le charme. « Attrait, appât, qui plaît extrêmement, qui touche sensiblement » (Dictionnaire de l'Académie, 1694).

QUESTIONS

● VERS 827-852. Relevez les traits de style qui traduisent la violence de Nérestan. Cette violence, blâmée par certains critiques du XVIIIe siècle, peut-elle se justifier? L'attitude de Nérestan est-elle humaine? Ne peut-on voir, de la part de l'auteur, une volonté de dénoncer indirectement les méfaits du zèle religieux?

Mes serments, mon devoir, mes remords, ma faiblesse,
Me servent de supplice, et ta sœur en ce jour
Meurt de son repentir, plus que de son amour.

NÉRESTAN

875 Je te blâme et te plains ; crois-moi, la Providence
Ne te laissera point périr sans innocence[537].
Je te pardonne, hélas! ces combats odieux ;
Dieu ne t'a point prêté son bras victorieux[538].
Ce bras, qui rend la force aux plus faibles courages,
880 Soutiendra ce roseau plié par les orages.
Il ne souffrira pas qu'à son culte engagé,
Entre un barbare et lui ton cœur soit partagé.
Le baptême éteindra ces feux[539] dont il[540] soupire,
Et tu vivras fidèle, ou périras martyre.
885 Achève donc ici ton serment commencé[541] :
Achève ; et, dans l'horreur dont ton cœur est pressé[542],
Promets au roi Louis[543], à l'Europe, à ton père,
Au Dieu qui déjà parle à ce cœur si sincère,
De ne point accomplir cet hymen odieux
890 Avant que le pontife ait éclairé tes yeux,
Avant qu'en ma présence, il te fasse chrétienne,
Et que Dieu par ses mains t'adopte et te soutienne.
Le promets-tu, Zaïre?...

---

537. Ne te laissera pas périr coupable ; **538.** Dieu ne t'a pas accordé sa grâce ; **539.** *Feux.* Au pluriel, le mot s'emploie dans la langue poétique pour *passion, amour* ; **540.** *Il* renvoie à *ton cœur* ; **541.** Nérestan fait allusion au serment prêté par Zaïre à la scène IV de l'acte II (vers 701), que seul le baptême pourra accomplir en faisant de la jeune fille une chrétienne ; **542.** *Presser* : accabler, angoisser. « Calmez, Reine, calmez la frayeur qui vous presse » (Racine, *Esther*, vers 657) ; **543.** *Louis* : voir vers 356 et la note.

QUESTIONS

● Vers 853-874. Etudiez les différents moments de cette tirade. Comment la pensée de Zaïre s'achemine-t-elle de Nérestan à Orosmane? Quel sens donnez-vous au vers 865? — Montrez dans tout ce passage la délicatesse des sentiments de Zaïre. Analysez son déchirement : elle voudrait que le passé ne soit pas (vers 861-865), et pourtant elle ne peut l'oublier, car c'est lui qui donne tout son sens à sa vie présente et à sa foi douloureuse.

● Vers 875-893. Comment Nérestan explique-t-il la conduite de sa sœur? Quelle conception de Dieu se fait-il? Indiquez le sens qu'il donne à la vie (vers 884). Dans son idéologie, quelle place tient l'individu? Définissez les rapports qui existent, du point de vue de Nérestan, entre le chrétien, sa patrie, son roi et sa famille. Qu'est-ce que la vérité pour le jeune Français? Cette philosophie de la vie, exposée ici, concorde-t-elle avec celle de Voltaire? Quel but poursuit l'auteur? Montrez l'importance, en ce qui concerne l'action, du serment que Nérestan exige de sa sœur (vers 887-892).

ZAÏRE

Oui, je te le promets :
Rends-moi chrétienne et libre, à tout je me soumets.
895 Va d'un père expirant, va fermer la paupière ;
Va, je voudrais te suivre, et mourir la première.

NÉRESTAN

Je pars ; adieu, ma sœur, adieu : puisque mes vœux
Ne peuvent t'arracher à ce palais honteux,
Je reviendrai bientôt, par un heureux baptême,
900 T'arracher aux enfers, et te rendre à toi-même.

Scène V. — ZAÏRE

Me voilà seule, ô Dieu! que vais-je devenir?
Dieu, commande à mon cœur de ne te point trahir!
Hélas! suis-je en effet Française ou Musulmane?
Fille de Lusignan, ou femme d'Orosmane?
905 Suis-je amante ou chrétienne? O serments que j'ai faits!
Mon père, mon pays, vous serez satisfaits!
Fatime ne vient point. Quoi! dans ce trouble extrême,
L'univers m'abandonne ou me laisse à moi-même!
Mon cœur peut-il porter, seul et privé d'appui,
910 Le fardeau des devoirs qu'on m'impose aujourd'hui?
A ta loi, Dieu puissant, oui, mon âme est rendue ;
Mais fais que mon amant s'éloigne de ma vue.
Cher amant, ce matin l'aurais-je pu prévoir,
Que je dusse aujourd'hui redouter de te voir,
915 Moi qui, de tant de feux[544] justement possédée,
N'avais d'autre bonheur, d'autre soin, d'autre idée,
Que de t'entretenir, d'écouter ton amour,

---

544. *Feux* : voir vers 883 et la note.

━━━━━ **QUESTIONS** ━━━━━━━━━━━━━━━━━━━━━━━━━━

● Vers 893-900. Quel sens donnez-vous au vers 894? Zaïre ressent-elle à
présent son amour pour Orosmane comme un esclavage ou bien voit-elle dans
sa conversion un moyen d'être soulagée, comme malgré elle, de sa passion? —
Nérestan met tout son espoir dans le baptême : pourquoi? Rapprochez son
attitude de celle de sa sœur.

■ Sur l'ensemble de la scène IV. — Montrez que cette scène capitale noue
l'action.

— Comparez la situation et les caractères à ceux de la scène V de l'acte IV
d'*Horace*.

Te voir, te souhaiter, attendre ton retour?
Hélas! et je t'adore, et t'aimer est un crime!

Scène VI. — ZAÏRE, OROSMANE, FATIME

OROSMANE

920 Paraissez, tout est prêt[545], et l'ardeur qui m'anime
Ne souffre plus madame, aucun retardement[546];
Les flambeaux de l'hymen[547] brillent pour votre amant[548];
Les parfums de l'encens remplissent la mosquée;
Du dieu de Mahomet la puissance invoquée
925 Confirme mes serments et préside à mes feux[549].
Mon peuple prosterné pour vous offre ses vœux[550],
Tout tombe à vos genoux : vos superbes[551] rivales,
Qui disputaient[552] mon cœur et marchaient vos égales[553],
Heureuses de vous suivre et de vous obéir,
930 Devant vos volontés vont apprendre à fléchir.
Le trône, les festins et la cérémonie,
Tout est prêt : commencez le bonheur de ma vie.

ZAÏRE

Où suis-je, malheureuse? ô tendresse! ô douleur!

OROSMANE

Venez.

---

545. La Harpe écrit à propos de ce vers : « Assemblez des milliers d'hommes, il n'y en aura pas un dont le cœur ne palpite à ce seul mot »; **546.** *Retardement :* action de retarder, retard volontaire, atermoiement. « Délai, remise [...] : *Il n'y aura point de retardement de ma part* » (Dictionnaire de l'Académie, 1694). *Retard* ne sera admis par l'Académie qu'en 1762; **547.** *Hymen :* voir vers 73 et la note; **548.** *Amant :* voir vers 102 et la note; **549.** *Feux :* voir le vers 883 et la note; **550.** *Vœu :* prière; **551.** *Superbe :* voir vers 57 et la note; **552.** *Disputer :* rivaliser avec d'autres pour obtenir quelque chose; **553.** Expression empruntée à Virgile (*l'Énéide*, vers 46).

■ QUESTIONS ────────────

■ Sur la scène v. — Analysez avec précision les traits de style qui rendent le *trouble extrême* (vers 907) de Zaïre.

— Pourquoi Zaïre invoque-t-elle Dieu? A quel prix s'engage-t-elle à surmonter son amour? *T'aimer est un crime* (vers 919) : n'est-ce pas l'éternel dialogue chrétien de la chair et de l'esprit? Polyeucte, déjà, n'en avait-il pas goûté l'amertume (acte IV, scène II)?

— Quel est sur le plan dramatique l'intérêt de ce monologue? Notez l'importance du vers 919.

● Vers 920-932. En quoi le premier hémistiche du vers 920 est-il, comme le dit La Harpe, « un vrai coup de théâtre »? Montrez que cette tirade s'oppose, point par point, au monologue de Zaïre et marque la séparation des deux amants.

ZAÏRE

Où me cacher?

OROSMANE

Que dites-vous?

ZAÏRE

Seigneur!

OROSMANE

935 Donnez-moi votre main; daignez, belle Zaïre...

ZAÏRE

Dieu de mon père, hélas! que pourrais-je lui dire?

OROSMANE

Que j'aime à triompher de ce tendre embarras!
Qu'il redouble ma flamme et mon bonheur!

ZAÏRE

Hélas!

OROSMANE

Ce trouble à mes désirs vous rend encor plus chère;
940 D'une vertu modeste il est le caractère.
Digne et charmant objet[554] de ma constante foi[555],
Venez, ne tardez plus.

ZAÏRE

Fatime, soutiens-moi...
Seigneur...

OROSMANE

O ciel! eh quoi!

ZAÏRE

Seigneur, cet hyménée
Etait un bien suprême à mon âme étonnée[556].

___

554. *Objet* : voir vers 71 et la note; **555.** *Foi* : amour fidèle; **556.** *Etonner* : voir vers 69 et la 4
note.

─── **QUESTIONS** ───────────────

● VERS 933-943. Ce passage est ironique : Orosmane se méprend sur la cause
du trouble de Zaïre et interprète les propos de son amante à contresens.
Comment l'expliquez-vous?

945 Je n'ai point recherché le trône et la grandeur.
Qu'un sentiment plus juste occupait tout mon cœur!
Hélas! j'aurais voulu qu'à vos vertus unie,
En méprisant pour vous les trônes de l'Asie,
Seule et dans un désert, auprès de mon époux,
950 J'eusse pu, sous mes pieds, les fouler avec vous[557].
Mais... seigneur... ces chrétiens...

OROSMANE

Ces chrétiens... Quoi!
[madame,
Qu'auraient donc de commun cette secte et ma flamme[558]?

ZAÏRE

Lusignan, ce vieillard accablé de douleurs,
Termine en ces moments sa vie et ses malheurs.

OROSMANE

955 Eh bien, quel intérêt si pressant et si tendre
A ce vieillard chrétien votre cœur peut-il prendre?
Vous n'êtes point chrétienne; élevée en ces lieux,
Vous suivez, dès longtemps, la foi de mes aïeux.
Un vieillard qui succombe au poids de ses années
960 Peut-il troubler ici vos belles destinées?
Cette aimable pitié, qu'il s'attire de vous,
Doit se perdre avec moi dans des moments si doux!

ZAÏRE

Seigneur, si vous m'aimiez, si je vous étais chère...

OROSMANE

Si vous l'êtes, ah! Dieu!

ZAÏRE

Souffrez que l'on diffère...
965 Permettez que ces nœuds, par vos mains assemblés...

OROSMANE

Que dites-vous? ô ciel! est-ce vous qui parlez?
Zaïre!

---

557. On pourra rapprocher ce mépris des grandeurs avec celui qui est exprimé par Pauline dans *Polyeucte* (vers 465-478) ; 558. *Flamme* : voir vers 206 et la note.

ZAÏRE

Je ne puis soutenir sa colère.

OROSMANE

Zaïre!

ZAÏRE

Il m'est affreux, seigneur, de vous déplaire ;
Excusez ma douleur... Non, j'oublie à la fois
970 Et tout ce que je suis, et tout ce que je dois.
Je ne puis soutenir cet aspect qui me tue.
Je ne puis... Ah! souffrez que, loin de votre vue,
Seigneur, j'aille cacher mes larmes, mes ennuis[559],
Mes vœux[560], mon désespoir, et l'horreur où je suis.
(Elle sort.)

SCÈNE VII. — OROSMANE, CORASMIN

OROSMANE

975 Je demeure immobile, et ma langue glacée
Se refuse aux transports[561] de mon âme offensée.
Est-ce à moi que l'on parle? Ai-je bien entendu?
Est-ce moi qu'elle fuit? O ciel! et qu'ai-je vu?
Corasmin, quel est donc ce changement extrême?
980 Je la laisse échapper! je m'ignore moi-même.

---

559. *Ennui* : voir vers 87 et la note ; **560.** *Vœux* : désirs amoureux (Racine, *Bérénice*, vers 444) ; **561.** *Transports* « se dit [...] en choses morales du trouble ou de l'agitation de l'âme » (Dictionnaire de Furetière, 1690). Voir Racine, *Andromaque*, vers 54, 509, et *Britannicus*, vers 1614.

━━━━━ QUESTIONS ━━━━━

● VERS 943-974. Pourquoi Zaïre rappelle-t-elle la nature de son amour (vers 945-951)? Que regrette-t-elle? Que vous suggère le vers 951? Zaïre regarde-t-elle la foi chrétienne comme une révélation bouleversante ou comme une entrave à son bonheur? N'oubliez pas que Zaïre n'a toujours pas été baptisée ; or c'est du baptême qu'elle-même et Nérestan attendent tout changement. — Orosmane n'abonde-t-il pas dans le sens de Zaïre et ne lui présente-t-il pas les arguments qu'elle a étouffés sur ses lèvres (vers 955-962)? Comment expliquez-vous le vers 963, qui est, plus qu'une incapacité de répondre, un aveu douloureux de l'impossibilité de communiquer? Justifiez l'emploi de l'imparfait hypothétique aux vers 968 à 974. Etudiez les hésitations, le déchirement de Zaïre et le sens de sa fuite.

■ SUR L'ENSEMBLE DE LA SCÈNE VI. — En quoi la situation de Zaïre est-elle dramatique?

— Prouvez que l'action entre, avec cette scène, dans une voie nouvelle.

CORASMIN

Vous seul causez son trouble, et vous vous en plaignez!
Vous accusez, seigneur, un cœur où vous régnez!

OROSMANE

Mais pourquoi donc ces pleurs, ces regrets, cette fuite,
Cette douleur si sombre en ses regards écrite?
985 Si c'était ce Français!... Quel soupçon! quelle horreur!
Quelle lumière affreuse a passé dans mon cœur!
Hélas! je repoussais ma juste défiance :
Un barbare[562], un esclave aurait cette insolence!
Cher ami, je verrais un cœur comme le mien
990 Réduit à redouter un esclave chrétien!
Mais parle; tu pouvais observer son visage,
Tu pouvais de ses yeux entendre le langage;
Ne me déguise rien, mes feux[563] sont-ils trahis?
Apprends-moi mon malheur... Tu trembles... tu frémis...
995 C'en est assez.

CORASMIN

                    Je crains d'irriter vos alarmes.
Il est vrai que ses yeux ont versé quelques larmes;
Mais, seigneur, après tout, je n'ai rien observé
Qui doive...

OROSMANE

                 A cet affront je serais réservé!
Non, si Zaïre, ami, m'avait fait cette offense,
1000 Elle eût avec plus d'art trompé ma confiance;
Le déplaisir[564] secret de son cœur agité,
Si ce cœur est perfide, aurait-il éclaté?
Écoute, garde-toi de soupçonner Zaïre.
Mais, dis-tu, ce Français gémit, pleure, soupire :
1005 Que m'importe, après tout, le sujet de ses pleurs?
Qui sait si l'amour même entre dans ses douleurs?

---

562. *Barbare :* voir vers 825 et la note; **563.** *Feux :* voir vers 883 et la note; **564.** *Déplaisir :* voir vers 364 et la note.

─────── **QUESTIONS** ───────

● Vers 975-998. Montrez que le dépit et l'inquiétude font naître peu à peu chez Orosmane la jalousie. Par quels moyens le soudan essaie-t-il de lutter contre sa passion? Quel rôle tient Corasmin? S'efforce-t-il d'aiguiser les soupçons de son maître, comme Iago dans *Othello*, ou bien de les apaiser?

Et qu'ai-je à redouter d'un esclave infidèle[565]
Qui demain pour jamais se va[566] séparer d'elle?

CORASMIN

N'avez-vous pas, seigneur, permis, malgré nos lois,
1010 Qu'il jouît de sa vue une seconde fois?
Qu'il revînt en ces lieux?

OROSMANE

              Qu'il revînt, lui, ce traître?
Qu'aux yeux de ma maîtresse il osât reparaître?
Oui, je le lui rendrais, mais mourant, mais puni,
Mais versant à ses yeux le sang qui m'a trahi,
1015 Déchiré devant elle; et ma main dégouttante
Confondrait dans son sang le sang de son amante...
Excuse les transports de ce cœur offensé;
Il est né violent, il aime, il est blessé.
Je connais mes fureurs, et je crains ma faiblesse;
1020 A des troubles honteux je sens que je m'abaisse.
Non, c'est trop sur Zaïre arrêter un soupçon;
Non, son cœur n'est point fait pour une trahison.
Mais ne crois pas non plus que le mien s'avilisse
A souffrir des rigueurs, à gémir d'un caprice,
1025 A me plaindre, à reprendre, à redonner ma foi[567] :
Les éclaircissements sont indignes de moi.
Il vaut mieux sur mes sens reprendre un juste empire;
Il vaut mieux oublier jusqu'au nom de Zaïre.
Allons, que le sérail[568] soit fermé pour jamais[569];
1030 Que la terreur habite aux portes du palais;
Que tout ressente ici le frein de l'esclavage.
Des rois de l'Orient suivons l'antique usage.
On peut, pour son esclave, oubliant sa fierté,
Laisser tomber sur elle un regard de bonté;
1035 Mais il est trop honteux de craindre une maîtresse :
Aux mœurs de l'Occident laissons cette bassesse.
Ce sexe dangereux, qui veut tout asservir,
S'il règne dans l'Europe, ici doit obéir.

---

565. *Infidèle* : voir vers 297 et la note; **566.** Voir vers 264 et la note; **567.** *Foi* : promesse d'amour fidèle; **568.** *Sérail* : voir vers 16 et la note; **569.** Décision importante pour la suite de l'action. Nérestan ne pourra plus correspondre avec Zaïre que par le billet qui tombera entre les mains d'Orosmane.

Questions vers 999-1038, sur la scène VII et sur l'acte III, v. p. 115.

ACTE IV

Scène première. — ZAÏRE, FATIME

FATIME

Que je vous plains, madame, et que je vous admire !
1040 C'est le dieu des chrétiens, c'est Dieu qui vous inspire ;
Il donnera la force à vos bras languissants
De briser des liens si chers et si puissants.

ZAÏRE

Eh ! pourrai-je achever ce fatal[570] sacrifice ?

FATIME

Vous demandez sa grâce, il vous doit sa justice :
1045 De votre cœur docile il doit prendre le soin.

ZAÏRE

Jamais de son appui je n'eus tant de besoin.

---

570. *Fatal* : voir vers 73 et la note.

▬ QUESTIONS ▬

● Vers 999-1010. La raison reste maîtresse en Orosmane. Montrez qu'il analyse comme il faut la situation et connaît parfaitement les mécanismes du cœur humain. Quel sens attribuez-vous au vers 1003 ? Indiquez le trait de caractère d'Orosmane qui se manifeste ici. En quoi Orosmane se sent-il supérieur à Nérestan ? Est-ce la preuve d'une certitude ou d'une crainte ? Comment expliquez-vous l'attitude de Corasmin ? Quel but poursuit-il ?

● Vers 1011-1038. Etudiez, par une étude de style, le paroxysme de la passion qui n'envisage plus son apaisement que dans la destruction et la mort (rythme, allitérations, rimes, reprise et jeu des termes, répétitions, images) [vers 1011-1016]. — Quel sentiment parvient, en Orosmane, à étouffer la passion amoureuse et à briser l'exaspération (vers 1017-1022) ? Orosmane renonce à Zaïre par honneur. Ce renoncement entraîne une modification de l'état politique et des mœurs : pourquoi ? Montrez les rapports complexes et délicats qui unissent, comme chez Corneille, gloire, honneur, amour et politique. — Quelle image de l'Orient Voltaire donne-t-il ici ? Pourquoi l'oppose-t-il à l'Occident ? Quelles sont les raisons de ce schématisme ? Sont-elles philosophiques ? dramatiques ? Dans quelle indécision tragique nous laissent les ultimes paroles d'Orosmane ?

■ Sur l'ensemble de la scène vii. — Faites l'étude des mouvements divers et contradictoires qui agitent l'âme d'Orosmane. Analysez leur vraisemblance et leur utilité dramatique. Apportent-ils des éléments nouveaux sur le caractère du musulman ?

■ Sur l'ensemble de l'acte III. — Etudiez la place de cet acte dans le déroulement de l'action. Montrez-en les liens dramatiques avec les deux actes précédents.

— Analysez la naissance d'une passion : la jalousie.

FATIME

Si vous ne voyez plus votre auguste famille,
Le Dieu que vous servez vous adopte pour fille ;
Vous êtes dans ses bras, il parle à votre cœur ;
1050 Et, quand ce saint pontife, organe[571] du Seigneur,
Ne pourrait aborder dans ce palais profane...

ZAÏRE

Ah ! j'ai porté la mort dans le sein d'Orosmane.
J'ai pu désespérer le cœur de mon amant !
Quel outrage[572], Fatime, et quel affreux moment !
1055 Mon Dieu vous l'ordonnez ; j'eusse été trop heureuse[573].

FATIME

Quoi ! regretter encor cette chaîne honteuse !
Hasarder[574] la victoire, ayant[575] tant combattu !

ZAÏRE

Victoire infortunée ! inhumaine vertu !
Non, tu ne connais pas ce que je sacrifie.
1060 Cet amour si puissant, ce charme de ma vie,
Dont j'espérais, hélas ! tant de félicité,
Dans toute son ardeur n'avait point éclaté.
Fatime, j'offre à Dieu mes blessures cruelles,
Je mouille devant lui de larmes criminelles
1065 Ces lieux où tu m'a dit qu'il choisit son séjour[576] ;
Je lui crie en pleurant : « Ote-moi mon amour,
Arrache-moi mes vœux, remplis-moi de toi-même ! »
Mais, Fatime, à l'instant les traits de ce que j'aime,
Ces traits chers et charmants, que toujours je revoi[577],
1070 Le montrent dans mon âme entre le ciel et moi.
Eh bien ! race des rois, dont le ciel me fit naître,

---

571. *Organe* : bouche, interprète ; 572. *Outrage* : offense, atteinte à l'honneur ; 573. Pensée sous-entendue : (s'il n'en avait pas été ainsi), *j'eusse été trop heureuse* ; 574. *Hasarder* : faire courir un risque ; 575. *Ayant* : après avoir ; 576. Jérusalem (voir les vers 669-680) ; 577. Voir vers 611 et la note.

QUESTIONS

● Vers 1039-1051. Fatime joue-t-elle auprès de Zaïre le rôle d'une simple confidente ? Comment expliquez-vous son ton décidé ? Quelle image se fait-elle de Dieu ? Cette image peut-elle convenir à Zaïre ?

● Vers 1052-1057. Zaïre répond-elle aux arguments de Fatime ? Que traduit l'anacoluthe du vers 1055 ? Que représente Dieu pour Zaïre ? Que pensez-vous d'une telle foi ?

La citadelle d'Alep.

Père, mère, chrétiens, vous, mon Dieu, vous, mon maître
Vous qui de mon amant me privez aujourd'hui,
Terminez donc mes jours, qui ne sont plus pour lui!
1075 Que j'expire innocente, et d'une main si chère
De ces yeux qu'il aimait ferme au moins la paupière!
Ah! que fait Orosmane? il ne s'informe pas
Si j'attends loin de lui la vie ou le trépas;
Il me fuit, il me laisse, et je n'y[578] peux survivre.

FATIME

1080 Quoi! vous, fille des rois, que vous prétendez suivre,
Vous, dans les bras d'un Dieu, votre éternel appui...

ZAÏRE

Eh! pourquoi mon amant n'est-il pas né pour lui?
Orosmane est-il fait pour être sa victime?
Dieu pourrait-il haïr un cœur si magnanime?
1085 Généreux, bienfaisant, juste, plein de vertus,
S'il était né chrétien, que serait-il de plus?
Et plût à Dieu du moins que ce saint interprète,
Ce ministre sacré que mon âme souhaite,
Du trouble où tu me vois vînt bientôt me tirer!
1090 Je ne sais, mais enfin j'ose encor espérer
Que ce Dieu, dont cent fois on m'a peint la clémence,
Ne réprouverait point une telle alliance :
Peut-être, de Zaïre en secret adoré,
Il pardonne aux combats de ce cœur déchiré;
1095 Peut-être, en me laissant au trône de Syrie,
Il soutiendrait par moi les chrétiens de l'Asie.
Fatime, tu le sais, ce puissant Saladin[579],

---

578. *Y* se rapporte à l'idée contenue dans les deux premières propositions : je ne peux survivre à sa fuite et à son abandon; **579.** *Saladin* : voir vers 179 et la note.

■■■■ QUESTIONS ■■■■

● VERS 1058-1081. L'amour et la foi se heurtent en l'âme de Zaïre. Combattent-ils vraiment? Qu'est-ce que la foi pour Zaïre? Quelle conception se fait-elle de l'amour? Que lui apporte celui-ci? celle-là? Les deux sentiments peuvent-ils se concilier? Pourquoi? L'accumulation de toutes les puissances terrestres et célestes, charnelles et spirituelles, *rois, père, mère, chrétiens, Dieu*, ne parviennent pas à balancer cette seule réalité vivante : *mon amant*. Montrez que tout ce qui n'est pas Orosmane est sans saveur pour Zaïre. Quel est, pour la jeune fille, le sens de la vie? Montrez comment, au niveau du langage, Zaïre fait des efforts désespérés pour conjurer le doux maléfice de l'amour. Par quel moyen, finalement, parvient-elle à réduire l'antinomie?

Qui ravit à mon sang[580] l'empire du Jourdain[581],
Qui fit comme Orosmane admirer sa clémence[582],
1100 Au sein d'une chrétienne, il avait pris naissance[583].

FATIME

Ah! ne voyez-vous pas que, pour vous consoler...

ZAÏRE

Laisse-moi, je vois tout; je meurs sans m'aveugler :
Je vois que mon pays, mon sang, tout me condamne ;
Que je suis Lusignan, que j'adore Orosmane ;
1105 Que mes vœux, que mes jours à ses jours sont liés.
Je voudrais quelquefois me jeter à ses pieds,
De tout ce que je suis faire un aveu sincère.

FATIME

Songez que cet aveu peut perdre votre frère,
Expose les chrétiens qui n'ont que vous d'appui,
1110 Et va trahir le Dieu qui vous rappelle à lui.

ZAÏRE

Ah! si tu connaissais le grand cœur d'Orosmane!

FATIME

Il est le protecteur de la loi[584] musulmane,
Et plus il vous adore, et moins il peut souffrir
Qu'on vous ose annoncer un Dieu qu'il doit haïr.
1115 Le pontife à vos yeux en secret va se rendre,
Et vous avez promis...

ZAÏRE

Eh bien, il faut l'attendre.

---

580. *Sang* : race, famille ; **581.** Voir vers 179, 371, 382 et les notes ; **582.** La générosité de Saladin était proverbiale (voir l'*Essai sur les mœurs*, chapitre LVI) ; **583.** Hypothèse plausible. Saladin naquit à Takrit, en Mésopotamie, d'un père kurde. « C'était un persan d'origine, du petit pays des Curdes, nation toujours guerrière et toujours libre » (Voltaire, *Essai sur les mœurs*, chapitre LVI) ; **584.** *Loi* : voir vers 129 et la note.

● QUESTIONS ●

● Vers 1082-1100. A qui s'adresse la série de questions? Contre qui Zaïre se révolte-t-elle? Ne sent-on pas la présence de Voltaire dans l'opposition que marque Zaïre entre la morale et la religion? De quelle façon la jeune fille espère-t-elle, à présent, concilier sa foi et son amour? Pourquoi cherche-t-elle ses garants dans l'histoire? Cette idée est-elle plus réaliste que la précédente?

J'ai promis, j'ai juré de garder ce secret :
Hélas! qu'à mon amant je le tais à regret!
Et, pour comble d'horreur, je ne suis plus aimée.

SCÈNE II. — OROSMANE, ZAÏRE

OROSMANE

1120 Madame il fut un temps où mon âme charmée[585],
Ecoutant sans rougir des sentiments trop chers,
Se fit une vertu de languir dans vos fers[586].
Je croyais être aimé, madame, et votre maître,
Soupirant[587] à vos pieds, devait s'attendre à l'[588]être :
1125 Vous ne m'entendrez point, amant faible et jaloux[589],
En reproches honteux éclater contre vous ;
Cruellement blessé, mais trop fier pour me plaindre,
Trop généreux[590], trop grand pour m'abaisser à feindre,
Je viens vous déclarer que le plus froid mépris
1130 De vos caprices vains sera le digne prix[591].
Ne vous préparez point à tromper ma tendresse,
A chercher des raisons dont la flatteuse[592] adresse[593],
A mes yeux éblouis colorant[594] vos refus
Vous ramène un amant qui ne vous connaît plus,
1135 Et qui, craignant surtout qu'à rougir on l'expose,
D'un refus outrageant veut ignorer la cause.
Madame, c'en est fait, une autre va monter
Au rang que mon amour vous daignait présenter ;

---

585. *Charmer* : ensorceler. « Faire quelque effet merveilleux par la puissance des charmes ou du démon » (Dictionnaire de Furetière, 1690) ; **586.** *Fers* : voir vers 824 et la note ; **587.** Le participe présent est employé à la place de la proposition subordonnée causale : puisqu'il soupirait ; **588.** *Le* remplace le participe passé *aimé*, précédemment exprimé ; **589.** (Comme ferait un) *amant faible et jaloux;* **590.** *Généreux* : voir vers 315 et la note ; **591.** *Prix* : salaire, récompense ; **592.** *Flatteur* : agréable, séduisant ; **593.** *Adresse* : moyen ingénieux ; **594.** *Colorer* (v. tr.) : farder, déguiser. « Signifie, au figuré, donner une belle apparence à quelque chose de mauvais » (Dictionnaire de l'Académie, 1694). Ce sens défavorable s'explique par celui du mot *couleur* dont le verbe dérive.

QUESTIONS

● VERS 1101-1119. Comment Zaïre pense-t-elle trouver une solution? Quelles peuvent être les conséquences d'un tel acte? Zaïre voit en Orosmane l'amoureux, Fatime le chef musulman : laquelle vous semble avoir la vue la plus juste? Orosmane lui-même est-il tout à fait libre? Quelle impression fait le dernier vers sur le spectateur?

■ SUR L'ENSEMBLE DE LA SCÈNE PREMIÈRE. — En somme, dites en quoi la situation de Zaïre est éminemment tragique.

— Définissez, sur le plan de la structure dramatique, le rôle de cette scène.

Une autre aura des yeux, et va du moins connaître
1140 De quel prix mon amour et ma main devaient être.
Il pourra m'en coûter, mais mon cœur s'y résout.
Apprenez qu'Orosmane est capable de tout,
Que j'aime mieux vous perdre, et, loin de votre vue,
Mourir désespéré de vous avoir perdue,
1145 Que de vous posséder, s'il faut qu'à votre foi[595]
Il en coûte un soupir qui ne soit pas pour moi.
Allez ; mes yeux jamais ne reverront vos charmes[596].

ZAÏRE

Tu m'a donc tout ravi, Dieu témoin de mes larmes !
Tu veux commander seul à mes sens[597] éperdus[598]...
1150 Eh bien, puisqu'il est vrai que vous ne m'aimez plus,
Seigneur...

OROSMANE

Il est trop vrai que l'honneur me l'ordonne,
Que je vous adorai, que je vous abandonne,
Que je renonce à vous, que vous le désirez,
Que sous une autre loi[599]... Zaïre, vous pleurez[600] ?

ZAÏRE

1155 Ah ! seigneur ! ah ! du moins, gardez[601] de jamais croire

---

595. *Foi :* amour ; **596.** *Charmes :* métonymie usuelle dans la langue de la galanterie pour désigner Zaïre elle-même ; **597.** *Sens :* sentiments ; **598.** *Eperdus :* fous d'amour ; **599.** Sous un autre amour ; **600.** La Harpe écrit à propos de ce mot : « Tous les cœurs ont retenu ce mot fameux dans l'histoire du théâtre, parce qu'il est vrai dans celle de l'amour. » Diderot, dans le *Paradoxe sur le comédien*, en compare l'effet scénique au « Vous y serez, ma fille » d'Agamemnon (*Iphigénie*, vers 578). Voir la « Seconde Epître dédicatoire » ; **601.** Gardez-vous. La reprise du sujet par un pronom personnel n'est pas obligatoire dans la langue du XVIIe siècle.

QUESTIONS

● Vers 1120-1147. Justifiez le changement de ton d'Orosmane avec Zaïre. Etudiez dans cette tirade le langage de la galanterie. Est-il adéquat à la situation ? Pourquoi ? Rendez compte de l'attitude d'Orosmane (vers 1125-1136). Etait-elle prévisible ? Ne correspond-elle pas au caractère du soudan, à sa générosité, à son sens de la gloire, de l'honneur, à sa position politique enfin ? Pourquoi impose-t-il par avance le silence à Zaïre ? Pourquoi lui annonce-t-il qu'une autre l'a remplacée (vers 1137-1141) ? Par dépit ? Pour éveiller en elle la jalousie ? Pour se forcer lui-même à rompre définitivement ? Orosmane est-il si sûr qu'il veut le paraître ? Ce calme apparent n'est-il pas lourd de menaces (vers 1142-1147) ? Comment peut-on définir l'amour d'Orosmane ? N'est-il pas une exigence d'absolu ? Montrez qu'il rejoint celui de Zaïre. — Comparez ce passage avec les vers 1275-1308 d'*Andromaque*. En quoi les sentiments et le ton sont-ils différents ? Comment l'expliquez-vous ?

Que du rang d'un soudan[602] je regrette la gloire ;
Je sais qu'il faut vous perdre, et mon sort l'a voulu :
Mais, seigneur, mais mon cœur ne vous est pas connu.
Me punisse à jamais ce ciel qui me condamne,
1160 Si je regrette rien que[603] le cœur d'Orosmane !

OROSMANE

Zaïre, vous m'aimez !

ZAÏRE

Dieu ! si je l'aime, hélas !

OROSMANE

Quel caprice étonnant, que je ne conçois pas !
Vous m'aimez ! eh ! pourquoi vous forcez-vous, cruelle,
A déchirer le cœur d'un amant si fidèle ?
1165 Je me connaissais mal ; oui, dans mon désespoir,
J'avais cru sur moi-même avoir plus de pouvoir.
Va, mon cœur est bien loin d'un pouvoir si funeste.
Zaïre, que jamais la vengeance céleste
Ne donne à ton amant, enchaîné sous ta loi,
1170 La force d'oublier l'amour qu'il a pour toi !
Qui ? moi ? que sur mon trône une autre fût placée ?
Non, je n'en eus jamais la fatale[604] pensée.
Pardonne à mon courroux, à mes sens[605] interdits[606],
Ces dédains affectés, et si bien démentis ;
1175 C'est le seul déplaisir[607] que jamais, dans ta vie,
Le ciel aura voulu que ta tendresse essuie[608].
Je t'aimerai toujours... Mais d'où vient que ton cœur,
En partageant mes feux, différait mon bonheur ?

---

602. *Soudan* : voir vers 16 et la note ; 603. *Rien* a ici sa valeur primitive de « chose » (du latin *rem*). Le sens est donc « *je ne regrette* (autre chose) *que* (sinon) *le cœur d'Orosmane* » ; 604. *Fatale* : mortelle ; 605. *Sens* : voir vers 1149 et la note ; 606. *interdits* : troublés ; 607. *Déplaisir* : voir vers 364 et la note ; 608. *Essuyer* : supporter, endurer.

● **QUESTIONS**

● VERS 1148-1161. Pourquoi Zaïre interpelle-t-elle d'abord Dieu ? Sur quel ton ? Quelle suite laissait attendre le début de l'adresse à Orosmane ? D'où vient la puissance pathétique du second hémistiche du vers 1154 ? Comment celui-ci amène-t-il un revirement ? La situation devient-elle « absolument neuve », comme le voulait La Harpe ? Comment interprétez-vous le vers 1156 ? Etudiez l'aveu de Zaïre. Indiquez les causes qui poussent Zaïre à ne pas le faire. De quelle façon ? Mesurez-en l'importance sur les plans psychologique et dramatique. Pourquoi, au vers 1161, Zaïre ne répond-elle pas directement ?

Parle. Etait-ce un caprice? est-ce crainte d'un maître,
1180 D'un soudan[609], qui pour toi veut renoncer à l'être?
Serait-ce un artifice? Epargne-toi ce soin ·
L'art[610] n'est pas fait pour toi, tu n'en as pas besoin[611] :
Qu'il ne souille à jamais le saint nœud[612] qui nous lie!
L'art le plus innocent tient de la perfidie[613].
1185 Je n'en connus jamais, et mes sens[614] déchirés,
Pleins d'un amour si vrai...

ZAÏRE

Vous me désespérez.
Vous m'êtes cher, sans doute ; et ma tendresse extrême
Est le comble des maux pour ce cœur qui vous aime.

OROSMANE

O ciel! expliquez-vous. Quoi! toujours me troubler?
1190 Se peut-il?...

ZAÏRE

Dieu puissant, que ne puis-je parler!

OROSMANE

Quel étrange secret me cachez-vous, Zaïre?

---

609. *Soudan* : voir vers 16 et la note ; 610. *Art* : habileté étudiée, ruse. Se dit, au sens défavorable, « de toutes les manières et inventions dont on se sert pour déguiser les choses, ou pour les embellir, ou pour réussir dans ses desseins » (Dictionnaire de Furetière, 1690) ; 611. Ce vers est un de ceux que Voltaire jugeait « simples et que l'on gâterait si on voulait les rendre beaux » (« Seconde Epître dédicatoire », page 58) ; 612. *Le saint nœud* : la promesse de mariage ; 613. Voir vers 1182 et la note ; 614. *Sens* : voir vers 1149 et la note.

=========== **QUESTIONS** ===========

● VERS 1162-1186. Quel trait de caractère révèle l'aveu d'Orosmane (vers 1165-1166)? Abaisse-t-il le personnage aux yeux du spectateur ou bien le rend-il plus humain? Voltaire ne cherche-t-il pas à toucher la pitié du spectateur? Quel effet produit le reniement d'Orosmane, qui reprend, un à un, tous les arguments qu'il avait précédemment énoncés et en reconnaît la fausseté? Analysez la rupture que provoque, au commencement de l'aveu, le passage du vouvoiement au tutoiement. Comment Orosmane explique-t-il son mensonge? L'aveu de Zaïre n'a-t-il pas favorisé un retour d'Orosmane à la réalité qui permet à celui-ci de prendre distance avec lui-même et d'analyser sa jalousie? Après la nouvelle affirmation de son amour (vers 1177), Orosmane ne reprend-il pas le chemin de sa passion? Pourquoi? N'est-ce pas une des raisons qui font de *Zaïre* une tragédie? Montrez ce qu'il y a de raffiné dans la galanterie d'Orosmane et en quoi cela convient à l'amour retrouvé et réaffirmé. L. Frandrin dit de ce passage qu'il « fait penser, par avance, à certaines scènes de Marivaux ». Qu'en pensez-vous?

Est-il quelque chrétien qui contre moi conspire?
Me trahit-on? parlez.

ZAÏRE

Eh! peut-on vous trahir?
Seigneur, entre eux[615] et vous vous me verriez courir.
1195 On ne vous trahit point, pour vous rien n'est à craindre.
Mon malheur est pour moi, je suis la seule à plaindre.

OROSMANE

Vous, à plaindre! grand Dieu!

ZAÏRE

Souffrez qu'à vos genoux
Je demande en tremblant une grâce de vous.

OROSMANE

Une grâce! ordonnez et demandez ma vie.

ZAÏRE

1200 Plût au ciel qu'à vos jours la mienne fût unie!
Orosmane... Seigneur... permettez qu'aujourd'hui,
Seule, loin de vous-même, et toute à mon ennui[616],
D'un œil plus recueilli contemplant ma fortune[617],
Je cache à votre oreille une plainte importune...
1205 Demain, tous mes secrets vous seront révélés.

OROSMANE

De quelle inquiétude, ô ciel! vous m'accablez :
Pouvez-vous?...

ZAÏRE

Si pour moi l'amour vous parle encore,
Ne me refusez pas la grâce que j'implore.

OROSMANE

Eh bien, il faut vouloir tout ce que vous voulez ;
1210 J'y consens ; il en coûte à mes sens[618] désolés[619].
Allez, souvenez-vous que je vous sacrifie
Les moments les plus beaux, les plus chers de ma vie.

---

615. *Eux* : les traîtres ; **616.** *Ennui* : voir vers 87 et la note ; **617.** *Fortune* : destinée, ensemble de « tout ce qui peut arriver de bien ou de mal à un homme » (Dictionnaire de l'Académie, 1694) ; **618.** *Sens* : voir vers 1149 et la note ; **619.** *Désolé* : abandonné, délaissé.

ZAÏRE

En me parlant ainsi, vous me percez le cœur.

OROSMANE

Eh bien, vous me quittez, Zaïre?

ZAÏRE

Hélas! seigneur.

Scène III. — OROSMANE, CORASMIN

OROSMANE

1215 Ah! c'est trop tôt chercher ce solitaire asile,
C'est trop tôt abuser de ma bonté facile ;
Et plus j'y pense, ami, moins je puis concevoir
Le sujet si caché de tant de désespoir.
Quoi donc! par ma tendresse élevée à l'empire,
1220 Dans le sein du bonheur que son âme désire,
Près d'un amant qu'elle aime, et qui brûle à ses pieds,
Ses yeux, remplis d'amour, de larmes sont noyés!
Je suis bien indigné de voir tant de caprices.
Mais moi-même, après tout, eus-je moins d'injustices?
1225 Ai-je été moins coupable à ses yeux offensés?
Est-ce à moi de me plaindre? on m'aime, c'est assez.
Il me faut expier, par un peu d'indulgence,
De mes transports jaloux l'injurieuse offense.
Je me rends : je le vois, son cœur est sans détours ;
1230 La nature naïve[620] anime ses discours ;
Elle est dans l'âge heureux où règne l'innocence ;
A sa sincérité je dois ma confiance.
Elle m'aime sans doute ; oui, j'ai lu devant toi,

---

620. *Naïf* : « naturel, sans fard, sans artifice » (Dictionnaire de l'Académie, 1694). Le mot tient ce sens favorable du latin *nativus*, « apporté en naissant », « inné » ; d'où « selon la nature », « selon la vérité ».

■ QUESTIONS

● Vers 1186-1216. Montrez ce que l'attitude de Zaïre peut avoir d'incompréhensible pour Orosmane. Ne lui réaffirme-t-elle pas son amour en même temps qu'elle refuse de s'expliquer? Orosmane n'atteint-il pas dans cette scène le sommet de la générosité? Etudiez ce qu'a de pathétique, dans sa nudité, le dernier vers de la scène. Sur quelle impression laisse-t-il le spectateur?

■ Sur l'ensemble de la scène II. — Quel parti dramatique Voltaire tire-t-il du « secret »?

— Cette scène fait encore un grand effet au théâtre : pour quelles raisons?

Dans ses yeux attendris, l'amour qu'elle a pour moi ;
1235 Et son âme, éprouvant cette ardeur qui me touche,
Vingt fois pour me le dire a volé sur sa bouche.
Qui peut avoir un cœur assez traître, assez bas,
Pour montrer tant d'amour et ne le sentir pas ?

Scène IV. — OROSMANE, CORASMIN, MÉLÉDOR

MÉLÉDOR

Cette lettre, seigneur, à Zaïre adressée,
1240 Par vos gardes saisie, et dans mes mains laissée...

OROSMANE

Donne... Qui la portait ? Donne.

MÉLÉDOR

                              Un de ces chrétiens
Dont vos bontés, seigneur, ont brisé les liens :
Au sérail, en secret, il allait s'introduire ;
On l'a mis dans les fers.

OROSMANE

                    Hélas ! que vais-je lire ?
1245 Laisse-nous... Je frémis.

Scène V. — OROSMANE, CORASMIN

CORASMIN

                    Cette lettre, seigneur,
Pourra vous éclaircir[621], et calmer votre cœur.

---

621. *Éclaircir* : éclairer, en parlant des personnes. « Instruire de quelque chose qu'on ne savait pas » (Dictionnaire de Richelet, 1680). Voir Racine, *Bérénice,* vers 1177, *Britannicus,* vers 1018, et *Iphigénie,* vers 655.

━━ **QUESTIONS** ━━━━━━━━━━━━━━━━━━━━

■ Sur la scène iii. — Analysez la renaissance des soupçons d'Orosmane et justifiez-la. Toutes les apparences ne semblent-elles pas contre Zaïre ? Montrez les efforts qu'Orosmane fait pour apaiser ses craintes. Remarquez qu'il passe de Zaïre à lui-même (vers 1224), puis qu'il retourne, comme purifié, à la personne de son amante (vers 1229). Étudiez le portrait qu'il fait de la jeune fille.
   — Quelle peut être l'utilité d'une telle analyse ?

■ Sur la scène iv. — Indiquez l'effet produit par la péripétie ?
   — Comment expliquez-vous qu'Orosmane ne fasse pas comparaître le chrétien porteur de la lettre afin de l'interroger ?

OROSMANE

Ah! lisons : ma main tremble, et mon âme étonnée[622]
Prévoit que ce billet contient ma destinée.
Lisons... « Chère Zaïre, il est temps de nous voir :
1250 Il est vers la mosquée une secrète issue,
Où vous pouvez sans bruit, et sans être aperçue,
Tromper vos surveillants, et remplir[623] notre espoir :
Il faut tout hasarder ; vous connaissez mon zèle :
Je vous attends : je meurs, si vous n'êtes fidèle. »
1255 Eh bien, cher Corasmin, que dis-tu?

CORASMIN

Moi, seigneur?
Je suis épouvanté de ce comble d'horreur.

OROSMANE

Tu vois comme on me traite.

CORASMIN

O trahison horrible!
Seigneur, à cet affront vous êtes insensible,
Vous dont le cœur tantôt, sur un simple soupçon,
1260 D'une douleur si vive a reçu le poison?
Ah! sans doute l'horreur d'une action si noire
Vous guérit d'un amour qui blessait[624] votre gloire.

OROSMANE

Cours chez elle à l'instant, va, vole, Corasmin :
Montre-lui cet écrit... Qu'elle tremble... et soudain
1265 De cent coups de poignard que l'infidèle meure.
Mais, avant de frapper... Ah! cher ami, demeure,
Demeure, il n'est pas temps. Je veux que ce chrétien

---

622. *Etonner :* voir vers 69 et la note ; **623.** *Remplir :* satisfaire, contenter ; **624.** *Blesser :* frapper, porter atteinte à.

■ **QUESTIONS** ─────────────────────────

● VERS 1245-1255. Montrez que les termes du billet sont habilement calculés dans le dessein de tromper Orosmane et de précipiter l'action. Etudiez-en le style, en particulier le vocabulaire équivoque, le jeu des pronoms personnels, le rythme précipité. Cela vous semble-t-il vraisemblable? Ne sent-on pas un peu trop l'intervention de l'auteur? En vous souvenant de la vogue de la littérature romanesque à l'époque, demandez-vous si le spectateur du XVIIIᵉ siècle ressentait la même gêne. Quel est le ton du vers 1255?

Devant elle amené... Non... je ne veux plus rien...
Je me meurs... je succombe à l'excès de ma rage.

CORASMIN

1270 On ne reçut jamais un si sanglant outrage.

OROSMANE

Le voilà donc connu ce secret plein d'horreur[625],
Ce secret qui pesait à son infâme cœur!
Sous le voile emprunté d'une crainte ingénue[626],
Elle veut quelque temps se soustraire à ma vue.
1275 Je me fais cet effort, je la laisse sortir;
Elle part en pleurant... et c'est pour me trahir.
Quoi! Zaïre!

CORASMIN

Tout sert à redoubler son crime.
Seigneur, n'en soyez pas l'innocente victime,
Et de vos sentiments rappelant la grandeur...

OROSMANE

1280 C'est là ce Nérestan, ce héros plein d'honneur,
Ce chrétien si vanté, qui remplissait Solyme[627]
De ce faste[628] imposant de sa vertu sublime!
Je l'admirais moi-même, et mon cœur combattu
S'indignait qu'un chrétien m'égalât en vertu[629].
1285 Ah! qu'il va me payer sa fourbe[630] abominable!
Mais Zaïre, Zaïre est cent fois plus coupable.
Une esclave chrétienne, et que j'ai[631] pu laisser
Dans les plus vils emplois languir sans l'abaisser!
Une esclave! elle sait ce que j'ai fait pour elle!
1290 Ah! malheureux!

CORASMIN

Seigneur, si vous souffrez mon zèle,

---

625. Selon Brunetière, ce vers est parmi ceux qui sont devenus « proverbialement plaisants » (voir vers 537 et la note); **626.** *Ingénue :* naturelle, loyale, sans déguisement; **627.** *Solyme :* voir vers 18 et la note; **628.** *Faste :* « vaine ostentation, affectation de paraître avec éclat » (Dictionnaire de l'Académie, 1694). Voir Molière, *le Tartuffe*, vers 389, et Corneille, *Pompée*, vers 1155; **629.** Voir vers 260 et la note; **630.** *Fourbe* (n. f.) : fourberie, caractère du fourbe. Le mot ne s'emploie plus aujourd'hui que comme adjectif. Voir Corneille, *Nicomède*, vers 1255, et Racine, *Athalie*, vers 1078 et 1728; **631.** Que j'aurais. *Je pouvais, j'ai pu,* comme *je devais, j'ai dû,* suivis d'un infinitif, ont le sens d'un conditionnel, comme en latin.

Questions vers 1256-1290, v. p. 129.

Si parmi les horreurs qui doivent vous troubler,
Vous vouliez...

CENTER: OROSMANE

. Oui, je veux la voir et lui parler.
Allez, volez, esclave, et m'[632]amenez Zaïre.

CENTER: CORASMIN

Hélas! en cet état que pourrez-vous lui dire?

CENTER: OROSMANE

1295 Je ne sais, cher ami; mais je prétends[633] la voir.

CENTER: CORASMIN

Ah! seigneur, vous allez, dans votre désespoir,
Vous plaindre, menacer, faire couler ses larmes.
Vos bontés contre vous lui donneront des armes;
Et votre cœur séduit[634], malgré tous vos soupçons,
1300 Pour la justifier cherchera des raisons.
M'en croirez-vous? cachez cette lettre à sa vue,
Prenez pour la lui rendre[635] une main inconnue :
Par là, malgré la fraude et les déguisements,
Vos yeux démêleront ses secrets sentiments,
1305 Et des plis[636] de son cœur verront tout l'artifice.

CENTER: OROSMANE

Penses-tu qu'en effet[637] Zaïre me trahisse?...

---

632. Construction conforme à l'ancien usage, qui voulait, pour des raisons rythmiques, que, si l'impératif n'était pas en tête de phrase, la construction soit la même qu'avec les autres formes personnelles du verbe. Ici, ce choix peut s'expliquer par la nécessité d'éviter l'hiatus; 633. *Prétendre* (v. tr.) : vouloir fermement, réclamer, revendiquer. « Demander une chose à laquelle on croit avoir droit » (Dictionnaire de l'Académie, 1694); 634. *Séduire* : égarer, induire en erreur. Ce verbe tient ce sens très fort du latin *seducere*, « mener à l'écart »; d'où « détourner de la voie droite », « écarter du bien ou du vrai »; 635. *Rendre* : remettre; 636. Ce qu'il y a de plus caché dans son cœur; 637. *En effet* : en réalité.

QUESTIONS

● Vers 1256-1290. Montrez le désespoir et le désarroi d'Orosmane. Où se révèle la profondeur de son amour (vers 1256-1269)? Analysez le style des vers 1263 à 1269. Étudiez-en le pathétique. Orosmane fait revivre le passé et l'interprète à la lumière du présent : n'est-ce pas le moyen de reculer le moment d'agir (vers 1271-1276)? Quel est le rapport entre l'image qu'Orosmane se faisait de Nérestan et de Zaïre et le châtiment qui se prépare? Pourquoi Zaïre est-elle *cent fois plus coupable* aux yeux du soudan (vers 1286)? Comment interprétez-vous l'emploi du mot *esclave*, répété pour qualifier Zaïre (vers 1280-1290)? — Quel est le rôle de Corasmin dans ce dialogue? Veut-il exaspérer les sentiments de son maître ou bien abonder dans son sens?

Allons, quoi qu'il en soit, je vais tenter mon sort,
Et pousser la vertu jusqu'au dernier effort.
Je veux voir à quel point une femme hardie
1310 Saura de son côté[638] pousser la perfidie.

CORASMIN

Seigneur, je crains pour vous ce funeste[639] entretien :
Un cœur tel que le vôtre...

OROSMANE

            Ah! n'en redoute rien.
A son exemple, hélas! ce cœur ne saurait feindre.
Mais j'ai la fermeté de savoir me contraindre :
1315 Oui, puisqu'elle m'abaisse à connaître un rival...
Tiens, reçois ce billet à tous trois si fatal[640] :
Va, choisis pour le rendre[641] un esclave fidèle ;
Mets en de sûres mains cette lettre cruelle ;
Va, cours... Je ferai plus, j'éviterai ses yeux ;
1320 Qu'elle n'approche pas... C'est elle, justes cieux!

Scène VI. — OROSMANE, ZAÏRE

ZAÏRE

Seigneur, vous m'étonnez[642]! quelle raison soudaine,
Quel ordre si pressant près de vous me ramène?

---

638. *De son côté :* en ce qui la concerne ; **639.** *Funeste :* mortel. « Qui cause la mort, ou qui en menace » (Dictionnaire de Furetière, 1690). Le mot tient ce sens très fort du latin *funestus,* signifiant « qui donne la mort, amène le deuil » au sens actif et « que la mort atteint, que le deuil touche » au sens passif ; **640.** *Fatal :* voir vers 73 et la note ; **641.** Voir vers 635 et la note ; **642.** *Etonner :* voir vers 69 et la note.

--- **QUESTIONS** ---

● Vers 1291-1320. Dans quel dessein Orosmane veut-il *voir* Zaïre? Est-il certain, malgré la preuve du billet, de la trahison de la jeune fille? Donnez ses raisons. Pourquoi n'est-ce pas Orosmane qui a, le premier, l'idée du stratagème? Corasmin prend l'initiative de la fourberie. Quels sont ses mobiles : s'affirmer devant son maître? S'affirmer face à lui-même? Par volonté de puissance? Par pure méchanceté? — Comment Voltaire parvient-il à atténuer ce que peut avoir d'odieux le piège tendu à Zaïre (vers 1312-1320)? Qu'indiquent les deux derniers vers?

■ Sur l'ensemble de la scène V. — Etudiez le rôle de Corasmin dans cette scène. Quelle est son utilité dramatique? Montrez, à travers les changements de situation, la constance du caractère d'Orosmane.

— Comparez les scènes IV et V avec la scène V de l'acte IV de *Bajazet*. Quelle est la différence des situations, des caractères, des sentiments?

OROSMANE

Eh bien, madame, il faut que vous m'éclaircissiez[643] :
Cet ordre est important plus que vous ne croyez.
1325 Je me suis consulté... Malheureux l'un par l'autre[644],
Il faut régler d'un mot et mon sort et le vôtre.
Peut-être qu'en effet[645] ce que j'ai fait pour vous,
Mon orgueil oublié[646], mon sceptre à vos genoux,
Mes bienfaits, mon respect, mes soins[647], ma confiance,
1330 Ont arraché de[648] vous quelque reconnaissance.
Votre cœur, par un maître attaqué chaque jour,
Vaincu par mes bienfaits, crut l'être par l'amour.
Dans votre âme, avec vous, il est temps que je lise ;
Il faut que ses replis s'ouvrent à ma franchise ;
1335 Jugez-vous : répondez avec la vérité
Que vous devez au moins[649] à ma sincérité.
Si de quelque autre amour l'invincible puissance
L'emporte sur mes soins[650], ou même les balance[651],
Il faut me l'avouer, et dans ce même instant
1340 Ta grâce est dans mon cœur ; prononce[652], elle t'attend.
Sacrifie à ma foi[653] l'insolent qui t'adore :
Songe que je te vois, que je te parle encore,
Que ma foudre[654] à ta voix pourra se détourner,
Que c'est le seul moment où je peux pardonner.

ZAÏRE

1345 Vous, seigneur ! vous osez me tenir ce langage !

---

643. *Eclaircir :* voir vers 1246 et la note ; **644.** Proposition absolue ; **645.** *En effet :* voir vers 1306 et la note ; **646.** *Mon orgueil oublié :* l'oubli de mon orgueil ; **647.** *Soins* se dit, dans le langage galant, des soucis d'amour, des inquiétudes de cœur ; **648.** *Arracher de :* construction latine ; **649.** *Que vous devez* (à défaut d'amour) *à ma sincérité;* **650.** *Soins :* voir vers 1329 et la note ; **651.** *Balancer* (v. tr.) : tenir en échec, faire contrepoids (voir Racine, *Bajazet,* vers 1088, et *Mithridate,* vers 437); **652.** *Prononcer* (v. tr.) : déclarer hautement ; **653.** *Foi :* voir vers 1145 et la note ; **654.** *Foudre :* vengeance terrible (voir Corneille, *le Cid,* vers 390 et 1010, *Polyeucte,* vers 713, et *Horace,* vers 1680),

---

▬ **QUESTIONS** ▬

● Vers 1321-1344. Comment Orosmane se conduit-il avec Zaïre ? Quel est le ton de ses propos ? Etudiez-en le style et le vocabulaire. Orosmane ne souhaite-t-il pas abaisser Zaïre (vers 1326-1330) ? Pourquoi ? La cruauté de ses paroles s'explique-t-elle ? De quoi accuse-t-il Zaïre (vers 1331-1336) ? Analysez au vers 1340 le passage au tutoiement, que la seule idée de grâce, de pardon, provoque. Montrez ce qu'ont de pathétique les vers 1341-1344. Orosmane espère-t-il encore ? Ne fait-il pas un effort désespéré pour reconquérir l'amour qu'il croit perdu ? Ne se montre-t-il pas, comme le dira Fatime au vers 1457, à la fois *tendre* et *farouche* ?

Vous, cruel! Apprenez que ce cœur qu'on outrage,
Et que par tant d'horreurs le ciel veut éprouver,
S'il ne vous aimait pas, est né pour vous braver.
Je ne crains rien ici que ma funeste[655] flamme[656] ;
1350 N'imputez qu'à ce feu qui brûle encor mon âme,
N'imputez qu'à l'amour, que je dois oublier,
La honte où je descends[657] de me justifier.
J'ignore si le ciel, qui m'a toujours trahie,
A destiné[658] pour vous ma malheureuse vie.
1355 Quoi qu'il puisse arriver, je jure par l'honneur,
Qui, non moins que l'amour, est gravé dans mon cœur,
Je jure que Zaïre, à soi-même[659] rendue,
Des rois les plus puissants détesterait[660] la vue ;
Que tout autre, après vous, me serait odieux.
1360 Voulez-vous plus savoir, et me connaître mieux?
Voulez-vous que ce cœur, à l'amertume en proie,
Ce cœur désespéré devant vous se déploie[661]?
Sachez donc qu'en secret il pensait malgré lui
Tout ce que devant vous il déclare aujourd'hui ;
1365 Qu'il soupirait pour vous, avant que vos tendresses
Vinssent justifier mes naissantes faiblesses[662] ;
Qu'il prévint[663] vos bienfaits, qu'il brûlait à vos pieds,
Qu'il vous aimait enfin, lorsque vous m'ignoriez ;
Qu'il n'eut jamais que vous, n'aura que vous pour maître.
1370 J'en atteste le ciel, que j'offense peut-être ;
Et si j'ai mérité son éternel courroux,
Si mon cœur fut coupable, ingrat, c'était pour vous.

OROSMANE

Quoi! des plus tendres feux[664] sa bouche encor m'assure!

---

655. *Funeste* : voir vers 443 et la note; **656.** *Flamme* : voir vers 206 et la note; **657.** *Descendre* : s'abaisser à. Aujourd'hui, en ce sens, on emploierait *condescendre;* **658.** *Destiner* : réserver quelque chose. Au XVIIᵉ siècle, le verbe se construisait directement ou bien indirectement par l'intermédiaire des prépositions *pour, de* ou *à;* **659.** Si elle redevenait maîtresse de son sort (voir vers 152 et la note); **660.** *Détester* : exécrer, avoir en horreur; **661.** *Déployer son cœur* : révéler ses secrets. *Déplier* avait déjà l'avantage sur *déployer* au XVIIᵉ siècle : « *Déplier* est bien plus en usage que *déployer,* que les poètes tâchent à maintenir en faveur de la rime » (Dictionnaire de Richelet, 1680). Voir vers 1305 et la note; **662.** *Faiblesse* : inclination, dans la langue de la galanterie; **663.** *Prévenir* : devancer; **664.** *Feux* : voir vers 883 et la note.

QUESTIONS

Vers 1345-1372, v. p. 133.

Quel excès de noirceur! Zaïre!... Ah! la parjure!
1375 Quand de sa trahison j'ai la preuve en ma main!

ZAÏRE

Que dites-vous? quel trouble agite votre sein?

OROSMANE

Je ne suis point troublé. Vous m'aimez?

ZAÏRE

                      Votre bouche
Peut-elle me parler avec ce ton farouche[665]
D'un feu si tendrement déclaré chaque jour?
1380 Vous me glacez de crainte en me parlant d'amour.

OROSMANE

Vous m'aimez?

ZAÏRE

          Vous pouvez douter de ma tendresse!
Mais, encore une fois, quelle fureur vous presse[666]?
Quels regards effrayants vous me lancez! Hélas!
Vous doutez de mon cœur?

---

665. *Farouche* : peu sociable. Le mot dérive de *fier*, « il se dit proprement de l'animal sauvage, qui n'est point apprivoisé » (Dictionnaire de l'Académie, 1694); **666.** *Presser* : oppresser, angoisser, tourmenter (voir Racine, *Iphigénie*, vers 941, *Britannicus*, vers 655, et Corneille, *Horace*, vers 1355 et 1383).

▬ QUESTIONS ▬

● Vers 1345-1372. Sur quel ton Zaïre répond-elle à Orosmane? Comment peut-on interpréter le rappel du *ciel* (vers 1347)? Quel sens donnez-vous au vers 1353? En quoi l'aveu de Zaïre est-il douloureux? Etudiez dans cette tirade les rapports de l'amour et de la pudeur, de l'amour et de l'honneur. Pourquoi Zaïre ne se contente-t-elle pas d'un premier aveu, mais va plus avant et *déploie* (vers 1362) son cœur devant Orosmane? Analysez la passion amoureuse telle que l'affirme Zaïre. Qu'a-t-elle de grand? Montrez que le langage de la galanterie n'empêche pas l'expression du sentiment brûlant. Que devient le *ciel* (vers 1370)?

● Vers 1373-1385. Dans quel dessein Orosmane pose-t-il deux fois la question : *Vous m'aimez?* (vers 1377 et 1381)? Montrez que la disproportion entre la longueur des répliques d'Orosmane et celles de Zaïre fait atteindre à l'angoisse son paroxysme. Les questions de Zaïre ne sont-elles pas des cris de désespoir? Quel est le ton de la dernière réplique d'Orosmane?

■ Sur l'ensemble de la scène VI. — Qu'est-ce qui rend la situation dramatique? Par quel moyen Voltaire en a-t-il atténué l'horreur? A quels titres les deux personnages méritent-ils notre pitié?

— Comparez cette scène (analogies et différences) avec la scène IV de l'acte III d'*Othello* et avec la scène IV de l'acte V de *Bajazet*.

« L'acteur Lekain dans le rôle d'Orosmane », par J.-B. Weyler.

Paris, musée du Louvre, coll. David-Weill.

OROSMANE

Non, je n'en doute pas.
1385 Allez, rentrez, madame.

Scène VII. — OROSMANE, CORASMIN

OROSMANE

Ami, sa perfidie
Au comble de l'horreur[667] ne s'est pas démentie ;
Tranquille dans le crime, et fausse avec douceur,
Elle a jusques au bout soutenu sa noirceur.
As-tu trouvé l'esclave? as-tu servi ma rage?
1390 Connaîtrai-je à la fois son crime, et mon outrage[668]?

CORASMIN

Oui, je viens d'obéir ; mais vous ne pouvez pas
Soupirer désormais pour ses traîtres appas[669] :
Vous la verrez sans doute avec indifférence,
Sans que le repentir succède à la vengeance,
1395 Sans que l'amour sur vous en repousse les traits[670].

OROSMANE

Corasmin, je l'adore encor plus que jamais.

CORASMIN

Vous? ô ciel! vous?

OROSMANE

Je vois un rayon d'espérance.
Cet odieux chrétien, l'élève[671] de la France,
Est jeune, impatient, léger, présomptueux ;
1400 Il peut croire aisément ses téméraires vœux.

---

667. Au plus noir de son horrible conduite ; **668.** *Mon outrage :* l'outrage qui m'est fait (valeur passive de l'adjectif possessif) ; **669.** *Appas :* voir vers 70 et la note ; **670.** Vers confus : sans que l'amour retourne contre vous les traits de la vengeance ; **671.** Formé à l'école de la France.

──────────── **QUESTIONS** ────────────────────

● Vers 1385-1395. Les questions d'Orosmane traduisent-elles son assurance ou bien sont-elles l'expression d'un dernier espoir? Corasmin connaît-il bien son maître? Ses prévisions concernant Orosmane ne révèlent-elles pas, en fait, sa propre âme?

Son amour indiscret[672], et plein de confiance,
Aura de ses soupirs hasardé l'insolence ;
Un regard de Zaïre aura pu l'aveugler :
Sans doute il est aisé de s'en[673] laisser troubler.
1405 Il croit qu'il est aimé, c'est lui seul qui m'offense ;
Peut-être ils ne sont point tous deux d'intelligence[674].
Zaïre n'a point vu ce billet criminel,
Et j'en croyais trop tôt mon déplaisir[675] mortel.
Corasmin, écoutez... Dès que la nuit plus sombre[676]
1410 Aux crimes des mortels viendra prêter son ombre,
Sitôt que ce chrétien chargé de mes bienfaits,
Nérestan, paraîtra sous les murs du palais,
Ayez soin qu'à l'instant ma garde le saisisse ;
Qu'on prépare pour lui le plus honteux supplice,
1415 Et que, chargé de fers, il me soit présenté.
Laissez surtout, laissez Zaïre en liberté.
Tu vois mon cœur, tu vois à quel excès je l'aime !
Ma fureur est plus grande, et j'en tremble moi-même.
J'ai honte des douleurs où je me suis plongé :
1420 Mais malheur aux ingrats qui m'auront outragé !

---

672. *Indiscret :* voir vers 42 et la note ; **673.** *En* se rapporte à *regard de Zaïre ;* **674.** *D'intelligence :* d'accord ; **675.** *Déplaisir :* voir vers 364 et la note ; **676.** Se faisant plus sombre.

──────── **QUESTIONS** ────────

● VERS 1396-1420. Quel effet dramatique produit le vers 1396? Le second hémistiche du vers 1397 n'est-il pas l'expression d'une pathétique recherche? La solution que propose Orosmane a-t-elle quelque vraisemblance? Le vers 1404 ne fait-il pas appel à la propre expérience du soudan? Montrez comment Orosmane s'efforce de se convaincre lui-même de la culpabilité de Zaïre (vers 1405-1408). Analysez la beauté des vers 1409-1410. Orosmane, après s'être convaincu, passe rapidement du domaine des idées à celui des actes : pourquoi? N'est-ce pas une façon de donner réalité à ses désirs? Comment lui-même explique-t-il sa conduite (vers 1417)?

■ SUR L'ENSEMBLE DE LA SCÈNE VII. — Est-il possible, d'après cette scène, de prévoir le dénouement?

■ SUR L'ENSEMBLE DE L'ACTE IV. — Montrez que cet acte n'apporte aucun élément nouveau à l'action, mais qu'il est le développement du précédent.

ACTE V

Scène première. — OROSMANE, CORASMIN, UN ESCLAVE

OROSMANE

On l'a fait avertir, l'ingrate va paraître.
Songe que dans tes mains est le sort de ton maître :
Donne-lui le billet de ce traître chrétien ;
Rends-moi compte de tout, examine-la bien :
1425 Porte-moi sa réponse. On approche... c'est elle.
        (A Corasmin.)
Viens, d'un malheureux prince ami tendre et fidèle,
Viens m'aider à cacher ma rage et mes ennuis[677].

Scène II. — ZAÏRE, FATIME, L'ESCLAVE

ZAÏRE

Eh! qui peut me parler dans l'état où je suis?
A tant d'horreurs, hélas! qui pourra me soustraire?
1430 Le sérail est fermé! Dieu! si c'était mon frère!
Si la main de ce Dieu, pour soutenir ma foi,
Par des chemins cachés le conduisait vers moi!
Quel esclave inconnu se présente à ma vue?

L'ESCLAVE

Cette lettre, en secret dans mes mains parvenue,
1435 Pourra vous assurer de ma fidélité.

ZAÏRE

Donne. (Elle lit.)

FATIME, à part, pendant que Zaïre lit.

Dieu tout-puissant, éclate[678] en ta bonté ;

---

677. *Ennui* : voir vers 87 et la note ; 678. *Eclater* : manifester avec éclat, de façon retentissante, un sentiment.

──────── QUESTIONS ────────

■ Sur la scène première. — Pourquoi cette scène (ainsi que les scènes II, IV, V, VI et VII) est-elle si brève? Quel est l'effet dramatique produit? En quoi cette structure ressortit-elle à un art théâtral nouveau?

Fais descendre ta grâce en ce séjour profane ;
Arrache ma princesse au barbare Orosmane !

ZAÏRE, *à Fatime.*

Je voudrais te parler.

FATIME, *à l'esclave.*

Allez, retirez-vous ;
1440 On vous rappellera, soyez prêt ; laissez-nous.

SCÈNE III. — ZAÏRE, FATIME

ZAÏRE

Lis ce billet : hélas ! dis-moi ce qu'il faut faire ;
Je voudrais obéir aux ordres de mon frère.

FATIME

Dites plutôt, madame, aux ordres éternels
D'un Dieu qui vous demande aux pieds de ses autels.
1445 Ce n'est point Nérestan, c'est Dieu qui vous appelle.

ZAÏRE

Je le sais ; à sa voix je ne suis point rebelle,
J'en ai fait le serment ; mais puis-je m'engager,
Moi, les chrétiens, mon frère, en un si grand danger ?

FATIME

Ce n'est point leur danger dont[679] vous êtes troublée ;
1450 Votre amour parle seul à votre âme ébranlée.
Je connais votre cœur ; il penserait comme eux,
Il hasarderait tout, s'il n'était amoureux.
Ah ! connaissez[680] du moins l'erreur qui vous engage[681].

---

679. *Leur danger dont* : de leur danger que ; 680. *Connaître* : reconnaître, admettre ;
681. Dans laquelle vous êtes engagée. Construction active du verbe *engager*, sans complément d'objet indirect (voir Racine, *Iphigénie*, vers 1534).

——————— ■ QUESTIONS ———————

■ SUR LA SCÈNE II. — Le sentiment du mystère dominait dans la première
scène : montrez que l'attitude de Zaïre l'accroît dans la deuxième.
   — Quel est, pendant cette attente de Dieu, le rôle de Fatime ? Analysez l'effet
dramatique provoqué par la prière de celle-ci.

● VERS 1441-1448. Sur quel plan se situent, dès le début de la scène, les
rapports entre Zaïre et Fatime ? Comment Zaïre voudrait-elle agir ? Montrez
l'importance de la substitution de *Dieu* à *frère* par Fatime. Quel est le ton de la
confidente ? Zaïre ne tente-t-elle pas de ramener le plan divin au plan humain ?

Vous tremblez d'offenser l'amant qui vous outrage :
1455 Quoi! ne voyez-vous pas toutes ses cruautés,
Et l'âme d'un Tartare[682], à travers ses bontés?
Ce tigre, encor farouche au sein de sa tendresse,
Même en vous adorant, menaçait sa maîtresse...
Et votre cœur encor ne s'en peut détacher?
1460 Vous soupirez pour lui?

ZAÏRE

     Qu'ai-je à lui reprocher?
C'est moi qui l'offensais, moi qu'en cette journée
Il a vu souhaiter ce fatal hyménée ;
Le trône était tout prêt, l'autel était paré,
Mon amant m'adorait, et j'ai tout différé.
1465 Moi, qui devais ici trembler sous sa puissance,
J'ai de ses sentiments bravé la violence ;
J'ai soumis son amour, il fait ce que je veux,
Il m'a sacrifié ses transports amoureux.

FATIME

Ce malheureux amour, dont votre âme est blessée,
1470 Peut-il en ce moment remplir votre pensée?

ZAÏRE

Ah! Fatime, tout sert à me désespérer :
Je sais que du sérail rien ne peut me tirer :
Je voudrais des chrétiens voir l'heureuse contrée,
Quitter ce lieu funeste à mon âme égarée ;
1475 Et je sens qu'à l'instant, prompte à me démentir,
Je fais des vœux secrets pour n'en jamais sortir.
Quel état! quel tourment! Non, mon âme inquiète

---

682. *Tartare* : voir vers 850 et la note.

QUESTIONS

● VERS 1449-1460. Justifiez la franchise brutale de Fatime. La confidente agit-elle ainsi pour éclairer Zaïre sur elle-même ou bien pour l'obliger à placer, dès l'abord, le dialogue dans la clarté? Quelle peinture fait-elle d'Orosmane? Est-elle juste? Fatime reproche à Zaïre d'être aveuglée par la passion amoureuse : n'est-elle pas, de son côté, emportée par une autre passion? Laquelle? Fatime a-t-elle des chances de convaincre son amie? Qu'est-ce qui sépare les deux femmes? Est-ce seulement l'amour de l'une et l'indifférence de l'autre pour Orosmane? Une comparaison avec la scène II de l'acte III de *Polyeucte* aidera à préciser la réponse.

Ne sait ce qu'elle doit[683], ni ce qu'elle souhaite ;
— Une terreur affreuse est tout ce que je sens.
1480 Dieu! détourne de moi ces noirs pressentiments ;
Prends soin de nos chrétiens, et veille sur mon frère!
Prends soin, du haut des cieux, d'une tête[684] si chère!
Oui, je le vais trouver, je lui vais obéir[685] :
Mais, dès que de Solyme[686] il aura pu partir,
1485 Par son absence alors à parler enhardie,
J'apprends à mon amant le secret de ma vie :
Je lui dirai le culte où[687] mon cœur est lié ;
Il lira dans ce cœur, il en aura pitié.
Mais, dussé-je au supplice être ici condamnée,
1490 Je ne trahirai pas le sang dont je suis née.
Va, tu peux amener mon frère dans ces lieux.
Rappelle cet esclave.

Scène IV. — ZAÏRE

O Dieu de mes aïeux ;
Dieu de tous mes parents, de mon malheureux père,
Que ta main me conduise et que ton œil m'éclaire!

---

683. *Devoir* peut se construire absolument dans la langue classique ; 684. *Tête :* synecdoque pour *personne* (voir Racine, *Iphigénie*, vers 221, et *Phèdre*, vers 657, 1049) ; 685. Voir vers 264 et la note 351 ; 686. *Solyme :* voir vers 18 et la note ; 687. *Où :* auquel. *Où* s'employait dans la langue classique, et jusqu'au xviiie siècle, là où nous mettrions le relatif *lequel* précédé d'une préposition, avec un nom de personne comme antécédent.

QUESTIONS

● Vers 1460-1492. Les sentiments de Zaïre sont-ils exactement les mêmes qu'à l'acte IV? L'âme de la jeune fille est-elle emportée par *ce malheureux amour*, comme le pense Fatime? Zaïre s'accuse-t-elle seulement par amour? Ne prend-elle pas, au contraire, une juste mesure de sa culpabilité involontaire? Le fait que sa raison demeure hors de la saisie de la passion ne rappelle-t-il pas les héroïnes cornéliennes? — Analysez les contradictions qui agitent Zaïre. Le désespoir de la jeune fille ne vient-il pas de ce qu'elle « sait » sa situation (vers 1472), qu'elle « voudrait » en sortir (vers 1473), mais qu'en même temps elle « sent » (vers 1475) qu'elle ne le veut pas vraiment? Comment expliquez-vous le passage de l'adresse à Fatime (vers 1471) et à Dieu (vers 1480)? Dans la tirade de Zaïre, analysez comment la plainte initiale se change en prière, puis s'achève par une prise de décision. Etudiez le style de ce passage, et en particulier le rythme des phrases et le jeu délicat des temps.

■ Sur l'ensemble de la scène III. — Quel est le rôle de Fatime dans le dialogue? Les conseils de la confidente ont-ils une influence sur Zaïre?
— Montrez que, dans cette scène de délibération, Voltaire a voulu faire une synthèse de toutes les données de la tragédie.

SCÈNE V. — ZAÏRE, L'ESCLAVE

ZAÏRE

1495 Allez dire au chrétien qui marche sur vos pas
Que mon cœur aujourd'hui ne le trahira pas ;
Que Fatime en ces lieux va bientôt l'introduire.
    (A part.)
Allons, rassure-toi, malheureuse Zaïre !

SCÈNE VI. — OROSMANE, CORASMIN, L'ESCLAVE

OROSMANE

Que ces moments, grand Dieu, sont lents pour ma fureur !
    (A l'esclave.)
1500 Eh bien, que t'a-t-on dit ? Réponds, parle.

L'ESCLAVE

                          Seigneur
On n'a jamais senti de si vives alarmes.
Elle a pâli, tremblé ; ses yeux versaient des larmes ;
Elle m'a fait sortir, elle m'a rappelé ;
Et d'une voix tremblante, et d'un cœur tout troublé,
1505 Près de ces lieux, seigneur, elle a promis d'attendre
Celui qui cette nuit à ses yeux doit se rendre.

OROSMANE

    (A l'esclave.)   *(A Corasmin.)*
Allez, il me suffit... Ote-toi de mes yeux,
Laisse-moi : tout mortel me devient odieux,
Laisse-moi seul, te dis-je, à ma fureur extrême :
1510 Je hais le monde entier, je m'abhorre moi-même.

─────── ■ **QUESTIONS** ───────────────────

■ Sur les scènes IV, V, VI. — Pourquoi Zaïre s'adresse-t-elle dans sa prière au « Dieu de ses aïeux », de « tous ses parents », de « son malheureux père » (vers 1492-1494)? Faites le parallèle entre la conduite de Zaïre et celle d'Orosmane (vers 1495-1500). La réponse de l'esclave n'est-elle pas calculée pour exaspérer la jalousie d'Orosmane (vers 1500-1506)?

   — Montrez en quoi la brièveté de ces scènes relève d'un art nouveau. Quel effet dramatique produisent-elles?

Scène VII. — OROSMANE

Où suis-je? ô ciel! où suis-je? où porté-je mes yeux[688]?
Zaïre, Nérestan... couple ingrat, couple affreux!
Traîtres, arrachez-moi ce jour que je respire,
Ce jour souillé par vous!... misérable Zaïre,
1515 Tu ne jouiras pas... Corasmin, revenez.

Scène VIII. — OROSMANE, CORASMIN

OROSMANE

Ah! trop cruel ami, quoi! vous m'abandonnez!
Venez. A-t-il paru, ce rival, ce coupable?

CORASMIN

Rien ne paraît encore.

OROSMANE

O nuit, nuit effroyable,
Peux-tu prêter ton voile à de pareils forfaits!
1520 Zaïre!... l'infidèle!... après tant de bienfaits!
J'aurais d'un œil serein, d'un front inaltérable,
Contemplé de mon rang la chute épouvantable[689];
J'aurais su, dans l'horreur de la captivité,
Conserver mon courage et ma tranquillité :
1525 Mais me voir à ce point trompé par ce que[690] j'aime!

CORASMIN

Eh! que prétendez-vous[691] dans cette horreur extrême?
Quel est votre dessein?

OROSMANE

N'entends-tu pas des cris?

CORASMIN

Seigneur...

OROSMANE

Un bruit affreux a frappé mes esprits.
On vient.

---

688. Cette scène est à rapprocher de *Phèdre*, vers 179 à 184; **689.** Contemplé la chute épouvantable que j'aurais faite du haut de mon rang; **690.** *Ce que*, neutre, pouvait désigner dans la langue classique une personne; **691.** *Que prétendez-vous* (faire)? Le verbe est construit activement (voir Racine, *Britannicus*, vers 157).

« Zaïre! Elle m'aimait? Est-il bien vrai, Fatime?
Sa sœur?... J'étais aimé? » (Acte V, scène X.)

CORASMIN

Non, jusqu'ici nul mortel ne s'avance ;
1530 Le sérail est plongé dans un profond silence ;
Tout dort, tout est tranquille ; et l'ombre de la nuit...

OROSMANE

Hélas! le crime veille, et son horreur me suit[692].
A ce coupable excès porter sa hardiesse!
Tu ne connaissais pas mon cœur et ma tendresse!
1535 Combien je l'adorais! quels feux! Ah! Corasmin,
Un seul de ses regards aurait fait mon destin :
Je ne puis être heureux, ni souffrir, que[693] par elle.
Prends pitié de ma rage[694]. Oui, cours... Ah! la cruelle!

CORASMIN

Est-ce vous qui pleurez? vous, Orosmane? ô cieux!

OROSMANE

1540 Voilà les premiers pleurs qui coulent de mes yeux.
Tu vois mon sort, tu vois la honte où[695] je me livre :
Mais ces pleurs sont cruels[696], et la mort va les suivre.
Plains Zaïre, plains-moi. L'heure approche : ces pleurs,
Du sang qui va couler, sont les avant-coureurs.

CORASMIN

1545 Ah! je tremble pour vous.

OROSMANE

Frémis de mes souffrances,
Frémis de mon amour, frémis de mes vengeances.
Approche, viens, j'entends... Je ne me trompe pas.

CORASMIN

Sous les murs du palais quelqu'un porte ses pas.

OROSMANE

Va saisir Nérestan ; va, dis-je! qu'on l'enchaîne :
1550 Que tout chargé de fers à mes yeux on l'entraîne!

---

692. *Suivre :* poursuivre, hanter ; 693. Si ce n'est ; 694. A rapprocher de *Phèdre* (vers 1258) : « Prends pitié de ma jalouse rage » ; 695. Voir vers 1487 et la note ; 696. Annoncent une décision cruelle.

——— QUESTIONS ———————————————

Sur les scènes VII et VIII, v. p. 145.

Scène IX. — OROSMANE, ZAÏRE et FATIME
marchant pendant la nuit dans l'enfoncement du théâtre.

ZAÏRE

Viens, Fatime.

OROSMANE

Qu'entends-je? Est-ce là cette voix,
Dont les sons enchanteurs m'ont séduit tant de fois,
Cette voix qui trahit un feu si légitime,
Cette voix infidèle, et l'organe[697] du crime?
1555 Perfide!... Vengeons-nous... Quoi! c'est elle? ô destin!
    (Il tire son poignard.)
Zaïre! Ah Dieu!... ce fer échappe de ma main.

ZAÏRE, *à Fatime.*

C'est ici le chemin; viens, soutiens mon courage.

FATIME

Il va venir.

OROSMANE

Ce mot me rend toute ma rage.

ZAÏRE

Je marche en frissonnant, mon cœur est éperdu...
1560 Est-ce vous, Nérestan, que j'ai tant attendu?

OROSMANE, *courant à Zaïre.*

C'est moi que tu trahis. Tombe à mes pieds, parjure!

ZAÏRE, *tombant dans la coulisse.*

Je me meurs, ô mon Dieu!

OROSMANE

J'ai vengé mon[698] injure.

---

697. *Organe :* voir vers 1050 et la note ; 698. Voir vers 1390 et la note.

    QUESTIONS ────────────────────────

■ Sur les scènes VII et VIII. — Est-ce par simple respect de la vraisemblance que Voltaire présente Orosmane désemparé? Quelle peut être l'importance de cette conduite pour la suite de l'action?
— Analysez la force poétique et dramatique des images. Intéressez-vous, dans cette optique, à l'expression du thème de la nuit et à ses rapports avec celui du jour, du crime et de la mort.

Otons-nous de ces lieux. Je ne puis... Qu'ai-je fait?...
Rien que de juste... Allons, j'ai puni son forfait.
1565 Ah! voici son amant que mon destin m'envoie
Pour remplir[699] ma vengeance et ma cruelle joie.

Scène X. — OROSMANE, ZAÏRE, NÉRESTAN, CORASMIN, FATIME, ESCLAVES

OROSMANE

Approche, malheureux qui viens de m'arracher,
De m'ôter pour jamais ce qui[700] me fut si cher[701]!
Méprisable ennemi, qui fais encor paraître[702]
1570 L'audace d'un héros avec l'âme d'un traître,
Tu m'imposais[703] ici pour me déshonorer.
Va, le prix en[704] est prêt, tu peux t'y[705] préparer.
Tes maux vont égaler les maux où[706] tu m'exposes,
Et ton ingratitude, et l'horreur que tu causes.
1575 Avez-vous ordonné son supplice?

CORASMIN

Oui, seigneur.

OROSMANE

Il commence déjà dans le fond de ton cœur.
Tes yeux cherchent partout, et demandent encore

---

699. Voir vers 255 et la note ; **700.** Voir vers 1525 et la note ; **701.** *Arracher* et *cher* sont des rimes normandes ; **702.** *Faire paraître* : montrer, manifester ; **703.** *Imposer*, employé absolument, peut signifier « inspirer du respect » ; **704.** *En* : de la traîtrise (de Nérestan) ; **705.** *Y* : à ce châtiment (qui attend Nérestan) ; **706.** Voir vers 1487 et la note.

--- **QUESTIONS** ---

● Vers 1551-1566. Quelle est l'importance dramatique de la voix de Zaïre dans le début de la scène? Pouvez-vous marquer son rapport avec le thème de la nuit, précédemment étudié? Les vers 1558 et 1560 ne sont-ils pas bien faits pour rendre toute sa force à la fureur défaillante d'Orosmane? Etudiez l'harmonie des vers 1551-1555 et 1559-1560, et montrez que leur accord musical rend d'autant plus douloureux leur discord sémantique. Comment interprétez-vous l'ultime *ô mon Dieu!* (vers 1562) de Zaïre? — Quels sont les sentiments d'Orosmane après son crime? Pourquoi veut-il partir et ne le peut-il? Comment interprétez-vous son besoin de se justifier à ses propres yeux? Pourquoi la venue de Nérestan est-elle accueillie avec *joie* (vers 1565)?

■ Sur l'ensemble de la scène IX. — Etudiez l'ironie tragique de la situation.
— Comparez cette scène à la scène II de l'acte V d'*Othello*.

La perfide qui t'aime et qui me déshonore.
Regarde, elle est ici.

NÉRESTAN

Que dis-tu? Quelle erreur...

OROSMANE

1580 Regarde-la, te dis-je.

NÉRESTAN

Ah! que vois-je? ma sœur!
Zaïre!... elle n'est plus! Ah! monstre! Ah! jour horrible!

OROSMANE

Sa sœur! Qu'ai-je entendu? Dieu! serait-il possible?

NÉRESTAN

Barbare, il est trop vrai : viens épuiser mon flanc
Du reste infortuné de cet auguste sang.
1585 Lusignan, ce vieillard, fut son malheureux père ;
Il venait dans mes bras d'achever sa misère[707] ;
Et d'un père expiré[708] j'apportais en ces lieux
La volonté dernière et les derniers adieux ;
Je venais, dans un cœur trop faible et trop sensible,
1590 Rappeler des chrétiens le culte incorruptible.
Hélas! elle offensait notre Dieu, notre loi[709] ;
Et ce Dieu la punit d'avoir brûlé[710] pour toi.

OROSMANE

Zaïre! Elle m'aimait? Est-il bien vrai, Fatime?
Sa sœur?... J'étais aimé?

FATIME

Cruel! voilà son crime.

---

707. *Achever sa misère* : terminer sa malheureuse vie. L'expression se trouve dans Racine, *Andromaque*, vers 189; 708. *Expirer* se construit transitivement pour exprimer un état; 709. *Loi* : voir vers 129 et la note; 710. *Brûlé* d'amour.

──────── **QUESTIONS** ────────

● Vers 1567-1581. Comment Voltaire retarde-t-il et prépare-t-il à la fois le coup de théâtre que constitue le vers 1580? Les propos d'Orosmane ne sont-ils pas obscurs pour qui n'est pas au fait?

● Vers 1582-1592. Analysez l'attitude de Nérestan. La mort de sa sœur l'a-t-elle changé? Ne retrouve-t-on pas dans cette dernière tirade le caractère fanatique que Nérestan a manifesté à plusieurs reprises au cours de la pièce?

1595 Tigre altéré de sang[711], tu viens de massacrer
Celle qui, malgré soi[712], constante à[713] t'adorer,
Se flattait[714], espérait que le Dieu de ses pères
Recevrait le tribut de ses larmes sincères,
Qu'il verrait en pitié cet amour malheureux ;
1600 Que peut-être il voudrait vous réunir tous deux...
Hélas! à[715] cet excès son cœur l'avait trompée ;
De cet espoir trop tendre elle était occupée[716] ;
Tu balançais[717] son Dieu dans son cœur alarmé.

OROSMANE

Tu m'en as dit assez. O ciel! j'étais aimé!
1605 Va, je n'ai pas besoin d'en savoir davantage...

NÉRESTAN

Cruel! qu'attends-tu donc pour assouvir ta rage?
Il ne reste que moi de ce sang glorieux
Dont ton père et ton bras ont inondé ces lieux ;
Rejoins[718] un malheureux à sa triste[719] famille,
1610 Au héros dont tu viens d'assassiner la fille.
Tes tourments[720] sont-ils prêts? Je puis braver tes coups ;
Tu m'as fait éprouver le plus cruel de tous.
Mais la soif de mon sang qui toujours te dévore
Permet-elle à l'honneur[721] de te parler encore?
1615 En m'arrachant le jour, souviens-toi des chrétiens

---

711. On rencontre le même hémistiche dans *Polyeucte* (vers 1125) et dans *Horace* (vers 1287) ; 712. Voir vers 152 et la note ; 713. *Constant à*, suivi d'un complément, est une construction fréquente dans la langue du XVIIᵉ siècle ; 714. *Se flatter* : « tromper en déguisant la vérité ou par faiblesse, ou par une mauvaise crainte de déplaire [...] : *Je ne me flatte point, je sais mes défauts* [...] » (Dictionnaire de l'Académie, 1694) ; 715. *A* : jusqu'à. La préposition à était d'un emploi plus étendu qu'aujourd'hui ; 716. *Occuper* : s'emparer, se rendre maître de quelque chose, en parlant de sentiments, de passions, d'idées qui accaparent l'esprit ou le cœur, l'absorbent tout entier. Le mot tient ce sens fort du latin *occupare*, « prendre tout entier », « envahir entièrement » ; 717. *Balancer* : voir vers 1338 et la note 651 ; 718. *Rejoindre* : réunir, rassembler (voir Racine, *Andromaque*, vers 4) ; 719. *Triste* : voir vers 31 et la note ; 720. *Tourments* : tortures, d'ordre physique. *Tes tourments* : les tortures que tu veux m'infliger ; 721. Permet-elle que tu entendes encore le sentiment de l'honneur.

QUESTIONS

● Vers 1593-1619. *J'étais aimé?* (vers 1594), s'écrie Orosmane. « Ce mot si simple et si déchirant me paraît, si l'on considère tout ce qui le précède et tout ce qu'il produit, le plus tragique que la passion et le malheur aient jamais prononcé sur la scène. » Développez ce jugement de La Harpe. Pourquoi, après ce vers, la paix renaît-elle dans l'âme d'Orosmane? — Précisez la différence de nature entre l'exaltation de Nérestan et celle de Fatime. N'y a-t-il pas un contraste étonnant entre l'attitude de ces deux personnages et le calme tragique d'Orosmane? Quel est son intérêt théâtral?

Dont tu m'avais juré de briser les liens :
Dans sa férocité ton cœur impitoyable
De ce trait généreux serait-il bien capable?
Parle ; à ce prix encor je bénis mon trépas.

OROSMANE, allant vers le corps de Zaïre.

1620 Zaïre!

CORASMIN

Hélas! seigneur, où portez-vous vos pas?
Rentrez : trop de douleur de votre âme s'empare ;
Souffrez que Nérestan...

NÉRESTAN

Qu'ordonnes-tu, barbare?

OROSMANE, après une longue pause.

Qu'on détache ses fers. Ecoutez, Corasmin :
Que tous ses compagnons soient délivrés soudain[722].
1625 Aux malheureux chrétiens prodiguez mes largesses :
Comblés de mes bienfaits, chargés de mes richesses,
Jusqu'au port de Joppé[723] vous conduirez leurs pas[724].

CORASMIN

Mais, seigneur...

OROSMANE

Obéis, et ne réplique pas ;
Vole, et ne trahis point la volonté suprême
1630 D'un soudan[725] qui commande et d'un ami qui t'aime.
Va, ne perds point de temps, sors. Obéis...
(A Nérestan.)

Et toi,
Guerrier infortuné, mais moins[726] encor que moi,
Quitte ces lieux sanglants ; remporte en ta patrie
Cet objet[727] que ma rage a privé de la vie.
1635 Ton roi, tous tes chrétiens, apprenant tes malheurs,
N'en parleront jamais sans répandre des pleurs.
Mais, si la vérité par toi se fait connaître,
En détestant[728] mon crime, on me plaindra peut-être.

---

722. *Soudain* : aussitôt ; 723. *Joppé* : ville de Palestine, aujourd'hui Jaffa ; 724. Voir vers 21 et la note ; 725. *Soudan* : voir vers 16 et la note ; 726. *Moins* (infortuné) *encor;* 727. *Objet* : voir vers 71 et la note ; 728. *Détester* : voir vers 1358 et la note.

Porte aux tiens ce poignard, que mon bras égaré
1640 A plongé dans un sein qui dut[729] m'être sacré ;
Dis-leur que j'ai donné la mort la plus affreuse
A la plus digne femme, à la plus vertueuse
Dont le ciel ait formé les innocents appas[730] ;
Dis-leur qu'à ses genoux j'avais mis mes Etats ;
1645 Dis-leur que dans son sang cette main s'est plongée ;
Dis que je l'adorais, et que je l'ai vengée.

(*Il se tue*[731].)

(*Aux siens.*)
Respectez ce héros, et conduisez ses pas.

NÉRESTAN

Guide-moi, Dieu puissant ! je ne me connais pas[732].
Faut-il qu'à t'admirer ta fureur me contraigne,
1650 Et que dans mon malheur ce soit moi qui te[733] plaigne !

---

729. Latinisme. Indicatif passé au sens du conditionnel : qui aurait dû ; 730. *Appas* : voir
vers 70 et la note ; 731. Il se frappe mortellement et peut encore prononcer quelques paroles ;
732. *Se connaître* : avoir conscience de ses propres sentiments ; 733. *T', ta, te* désignent
Orosmane.

──────── QUESTIONS ────────

● Vers 1620-1650. Montrez que, chez Nérestan, la « générosité » et
l' « honneur » gardent tous leurs droits. De son côté, Orosmane ne redevient-il
pas au dénouement tel qu'il était apparu au début de la pièce ? Faites le parallèle
entre les deux personnages. Quelle est, finalement, la seule préoccupation du
soudan ? Etudiez les motifs du suicide d'Orosmane.

■ Sur l'ensemble de la scène X. — Etudiez la valeur dramatique et poétique
de cette scène. Analysez en particulier les procédés de pathétique.
— Comparez cette scène avec la fin de la scène II de l'acte II d'*Othello*.

■ Sur l'ensemble de l'acte V. — La structure et le rythme de l'acte : quelles
en sont les différentes étapes ? L'ironie tragique ne lui donne-t-elle pas son
unité ?
— Etudiez, à travers ce dernier acte, ce que pouvait offrir de nouveau le
théâtre de Voltaire.
— Suivez l'évolution de chacun des personnages principaux : Zaïre et Nérestan ne restent-ils pas semblables à eux-mêmes ? Orosmane ne redevient-il pas,
avant de disparaître, tel qu'il était au début de la tragédie ? Voyez-vous un
intérêt dramatique ou moral à cette permanence psychologique ?
— Quelle philosophie se dégage de la pièce ? En songeant à la conception
voltairienne de l'histoire, tentez de déterminer, tels qu'ils apparaissent ici, le
sens de la vie humaine et la place du destin dans le déroulement de celle-ci.
— Partagez-vous l'opinion de Gustave Lanson : « Voltaire dispose toutes
sortes d'artifices à la fois pour amener et pour affadir la violence du dénouement. Zaïre est tendre, Orosmane est tendre : tous les deux sont sympathiques.
Pour que l'un tue l'autre, il faut absolument qu'il y ait quiproquo ; ainsi l'on
plaint la victime sans haïr le meurtrier. Le crime est combiné avec bienséance de
sorte qu'il n'y ait pas de criminel » ?

DOCUMENTATION THÉMATIQUE

1. LES IDÉES DRAMATIQUES DE VOLTAIRE

1.1. L'UNITÉ D'ACTION

Qu'on lise nos meilleures tragédies françaises, on trouvera toujours les personnages principaux diversement intéressés; mais ces intérêts divers se rapportent tous à celui du personnage principal, et alors il y a unité d'action. Si, au contraire, tous ces intérêts différents ne se rapportent pas au principal acteur, si ce ne sont pas des lignes qui aboutissent à un centre commun, l'intérêt est double; et ce qu'on appelle action au théâtre l'est aussi. Tenons-nous-en donc, comme le grand Corneille, aux trois unités dans lesquelles les autres règles, c'est-à-dire les autres beautés, se trouvent renfermées.

M. de Lamotte les appelle des principes de fantaisie, et prétend qu'on peut fort bien s'en passer dans nos tragédies, parce qu'elles sont négligées dans nos opéras : c'est, ce me semble, vouloir réformer un gouvernement régulier sur l'exemple d'une anarchie.

Préface d'Œdipe (1730).

1.2. LE CHOIX DU SUJET

C'est ici une grande question : s'il est permis d'inventer le sujet d'une tragédie? Pourquoi non, puisqu'on invente toujours les sujets de comédie. Nous avons beaucoup de tragédies de pure invention, qui ont eu des succès durables à la représentation et à la lecture. Peut-être même ces sortes de pièces sont plus difficiles à faire que les autres. On n'y est pas soutenu par cet intérêt qu'inspirent les grands noms connus dans l'histoire, par le caractère des héros déjà tracé dans l'esprit du spectateur. Il est au fait avant qu'on ait commencé. Vous n'avez nul besoin de l'instruire, et s'il voit que vous lui donniez une copie fidèle du portrait qu'il a déjà dans la tête, il vous en tient compte; mais dans une tragédie où tout est inventé, il faut annoncer les lieux, les temps et les héros; il faut intéresser pour des personnages dont votre auditoire n'a aucune connaissance : la peine est double; et si votre ouvrage ne transporte pas l'âme, vous êtes doublement condamné. Il est vrai que le spectateur peut vous dire : si l'événement que vous me présentez était arrivé, les historiens en auraient parlé. Mais il peut en dire autant de toutes les tragédies historiques dont les événements lui sont inconnus : ce qui est ignoré, et ce qui n'a jamais été écrit sont pour lui la même chose. Il ne s'agit ici que d'intéresser.

Commentaires sur le théâtre de Corneille (1764).

1.3. LES SENTIMENTS : CRAINTE ET PITIÉ

Pour la purgation des passions, je ne sais pas ce que c'est que cette médecine. Je n'entends pas comment la crainte et la pitié purgent, selon Aristote. Mais j'entends fort bien comment la crainte et la pitié agitent notre âme pendant deux heures, selon la nature, et comment il en résulte un plaisir très noble et très délicat, qui n'est bien senti que par les esprits cultivés.

Sans cette crainte et cette pitié, tout languit au théâtre. Si on ne remue pas l'âme, on l'affadit. Point de milieu entre s'attendrir et s'ennuyer.

Commentaires sur le théâtre de Corneille (1764).

1.4. VOLTAIRE COMMENTATEUR DU IIIᵉ *DISCOURS* DE CORNEILLE

« Je tiens donc... que l'unité d'action consiste dans la comédie en l'unité d'intrigue, ou d'obstacle aux desseins des principaux acteurs ; et en l'unité de péril dans la tragédie, soit que son héros y succombe, soit qu'il en sorte. »

Nous pensons que Corneille entend ici, par unité d'action et d'intrigue, une action principale à laquelle les intérêts divers et les intrigues particulières sont subordonnés, un tout composé de plusieurs parties qui toutes tendent au même but. C'est un bel édifice, dont l'œil embrasse toute la structure, et dont il voit avec plaisir les différents corps.

Il condamne, avec une noble candeur, la duplicité d'action dans ses *Horaces,* et la mort inattendue de Camille, qui forme une pièce nouvelle. Il pouvait ne pas citer *Théodore*. Ce n'est pas la double action, la double intrigue, qui rend *Théodore* une mauvaise tragédie ; c'est le vice du sujet, c'est le vice de la diction et des sentiments, c'est le ridicule de la prostitution.

Il y a manifestement deux intrigues dans l'*Andromaque* de Racine : celle d'Hermione, aimée d'Oreste et dédaignée de Pyrrhus ; celle d'Andromaque, qui voudrait sauver son fils et être fidèle aux mânes d'Hector. Mais ces deux intérêts, ces deux plans sont si heureusement rejoints ensemble que, si la pièce n'était pas un peu affaiblie par quelques scènes de coquetterie et d'amour, plus dignes de Térence que de Sophocle, elle serait la première tragédie du théâtre français.

Nous avons déjà dit que dans *la Mort de Pompée* il y a trois à quatre actions, trois à quatre espèces d'intrigues mal réunies. Mais ce défaut est peu de chose, en comparaison des autres qui rendent cette tragédie trop irrégulière. Le célèbre *Caton* d'Addison pèche par la multiplicité des actions et des intrigues, mais encore plus par l'insipidité des froids amours, et d'une conspiration en masque. Sans cela Addison aurait pu, par l'éloquence de son style noble et sage, réformer le théâtre anglais.

Corneille a raison de dire qu'il ne doit y avoir qu'une action complète. Nous doutons qu'on ne puisse y parvenir que par plusieurs autres actions imparfaites. Il nous semble qu'une seule action sans aucun épisode, à peu près comme dans *Athalie,* serait la perfection de l'art.

« Il y a grande différence [dit Aristote] entre les événements qui viennent les uns après les autres, et ceux qui viennent les uns à cause des autres. »

Cette maxime d'Aristote marque un esprit juste, profond et clair. Ce ne sont pas là des sophismes et des chimères à la Platon. Ce ne sont pas là des idées archétypes.

« La liaison des scènes... est un grand ornement dans un poëme. »

Cet ornement de la tragédie est devenu une règle, parce qu'on a senti combien il était devenu nécessaire.

« Je n'ai pas besoin de contredire Aristote pour me justifier sur cet article [le char de Médée]. »

Que devons-nous dire de tout ce morceau précédent? Applaudir au bon sens de Corneille autant qu'à ses grands talents.

« Aristote n'en prescrit point le nombre [des actes]; Horace le borne à cinq », etc.

Cinq actes nous paraissent nécessaires : le premier expose le lieu de la scène, la situation des héros de la pièce, leurs intérêts, leurs mœurs, leurs desseins; le second commence l'intrigue; elle se noue au troisième; le quatrième prépare le dénoûment, qui se fait au cinquième. Moins de temps précipiterait trop l'action, plus d'étendue l'énerverait. Il en est comme d'un repas d'appareil : s'il dure trop peu, c'est une halte; s'il est trop long, il ennuie et il dégoûte.

« Il faut, s'il se peut, y rendre raison de l'entrée et de la sortie de chaque acteur. »

La règle qu'un personnage ne doit ni entrer ni sortir sans raison est essentielle; cependant on y manque souvent. Il faut un dessein dans chaque scène, et que toutes augmentent l'intérêt, le nœud et le trouble. Rien n'est plus difficile et plus rare.

« Aristote veut que la tragédie bien faite soit belle, et capable de plaire sans le secours des comédiens et hors de la représentation. »

Aristote avait donc beaucoup de goût. Pour qu'une pièce de théâtre plaise à la lecture, il faut que tout y soit naturel, et qu'elle soit parfaitement écrite. Il y a quelques fautes de style dans *Cinna.* On y a découvert aussi quelques défauts dans la conduite et dans les sentiments; mais, en général, il y règne une si noble simplicité, tant de naturel, tant de clarté, le style a tant de beautés, qu'on lira toujours cette pièce avec intérêt et avec admiration. Il n'en sera pas de même d'*Héraclius* et de *Rodogune;* elles réussiront moins à la lecture qu'au théâtre. La diction, dans *Héraclius,* n'est souvent ni noble ni correcte; l'intrigue fait peine à l'esprit, la pièce ne touche point le cœur. *Rodogune,* jusqu'au cinquième acte, fait peu d'effet sur un lecteur judicieux qui a du goût. Quelquefois une tragédie dénuée de vraisemblance et de raison charme à la lecture par la beauté continue du style, comme la tragédie d'*Esther*. On rit du sujet, et on admire l'auteur. Ce sujet, en effet, respectable dans nos saintes Ecritures, révolte l'esprit partout ailleurs. Personne ne peut concevoir qu'un roi soit assez sot pour ne pas savoir, au bout d'un an, de quel pays est sa femme, et assez fou pour condamner toute une nation à la mort parce qu'on n'a pas fait la révérence à son ministre. L'ivresse de l'idolâtrie pour Louis XIV, et la bassesse de la flatterie pour Mme de Maintenon, fascinèrent les yeux à Versailles. Ils furent éclairés au théâtre de Paris. Mais le charme de la diction est si grand que tous ceux qui aiment les vers en retiennent par cœur plusieurs de cette pièce. C'est ce qui n'est arrivé à aucune des vingt dernières pièces de Corneille. Quelque chose qu'on écrive, soit vers, soit prose, soit tragédie ou comédie, soit fable ou sermon, la première loi est de bien écrire.

« La règle de l'unité de jour a son fondement sur ce mot d'Aristote : que la tragédie doit renfermer la durée de son action dans un tour du soleil », etc.

L'unité de jour a son fondement, non seulement dans les préceptes d'Aristote, mais dans ceux de la nature. Il serait même très convenable que l'action ne durât pas en effet plus longtemps que la représentation, et Corneille a raison de dire que sa tragédie de *Cinna* jouit de cet avantage.

Il est clair qu'on peut sacrifier ce mérite à un plus grand, qui est celui d'intéresser. Si vous faites verser plus de larmes, en étendant votre action à vingt-quatre heures, prenez le jour et la nuit ; mais n'allez pas plus loin. Alors l'illusion serait trop détruite.

« Si nous ne pouvons la renfermer [l'action] dans deux heures, prenons-en quatre, six, dix ; mais ne passons pas de beaucoup les vingt-quatre heures, de peur de tomber dans le dérèglement », etc.

Nous sommes entièrement de l'avis de Corneille dans tout ce qu'il dit de l'unité de jour.

« Je souhaiterois, pour ne point gêner du tout le spectateur, que ce qu'on fait représenter devant lui en deux heures se pût passer en effet en deux heures, et que ce qu'on lui fait voir sur un théâtre qui ne change point pût s'arrêter dans une chambre ou dans une salle... Mais souvent cela... est malaisé, pour ne pas dire impossible... », etc.

Nous avons dit ailleurs que la mauvaise construction de nos théâtres, perpétuée depuis nos temps de barbarie jusqu'à nos jours, rendait la loi de l'unité de lieu presque impraticable. Les conjurés ne peuvent pas conspirer contre César dans sa chambre ; on ne s'entretient pas de ses intérêts secrets dans une place publique ; la même décoration ne peut représenter à la fois la façade d'un palais et celle d'un temple. Il faudrait que le théâtre fît voir aux yeux tous les endroits particuliers où la scène se passe, sans nuire à l'unité de lieu ; ici une partie d'un temple, là le vestibule d'un palais, une place publique, des rues dans l'enfoncement ; enfin tout ce qui est nécessaire pour montrer à l'œil tout ce que l'oreille doit entendre. L'unité de lieu est tout le spectacle que l'œil peut embrasser sans peine.

Nous ne sommes point de l'avis de Corneille, qui veut que la scène du *Menteur* soit tantôt à un bout de la ville, tantôt à l'autre. Il est très aisé de remédier à ce défaut en rapprochant les lieux. Nous ne supposons pas même que l'action de *Cinna* puisse se passer d'abord dans la maison d'Emilie, et ensuite dans celle d'Auguste. Rien n'était plus facile que de faire une décoration qui représentât la maison d'Emilie, celle d'Auguste, une place, des rues de Rome.

« Quoi qu'il en soit, voilà mes opinions, ou, si vous voulez, mes hérésies touchant les principaux points de l'art ; et je ne sais point mieux accorder les règles anciennes avec les agréments modernes. Je ne doute point qu'il ne soit aisé d'en trouver de meilleurs moyens », etc.

Après les exemples que Corneille donna dans ses pièces, il ne pouvait guère donner de préceptes plus utiles que dans ces discours.

2. *ZAÏRE* ET *L'ESSAI SUR LES MŒURS*. LA FICTION ET L'HISTOIRE

A la lumière de ces textes, il sera intéressant de comparer la réalité historique des personnages et de l'action, telle que Voltaire se la représente dans l'*Essai sur les mœurs*, à la vision que nous en donne le dramaturge dans *Zaïre* (voir Notice, page 32, et Orientations de recherche, *Histoire*).

2.1. LA PRISE DE JÉRUSALEM PAR LES CROISÉS

(1097). On prit Nicée, on battit deux fois les armées commandées par le fils de Soliman. Les Turcs et les Arabes ne soutinrent point dans ces commencements le choc de ces multitudes couvertes de fer, de leurs grands chevaux de bataille, et des forêts de lances auxquelles ils n'étaient point accoutumés.

(1098). Bohémond eut l'adresse de se faire céder par les croisés le fertile pays d'Antioche. Baudouin alla jusqu'en Mésopotamie s'emparer de la ville d'Edesse, et s'y forma un petit Etat. Enfin on mit le siège devant Jérusalem, dont le calife d'Egypte s'était saisi par ses lieutenants. La plupart des historiens disent que l'armée des assiégeants, diminuée par les combats, par les maladies et par les garnisons mises dans les villes conquises, était réduite à vingt mille hommes de pied et à quinze cents chevaux ; et que Jérusalem, pourvue de tout, était défendue par une garnison de quarante mille soldats. On ne manque pas d'ajouter qu'il y avait, outre cette garnison, vingt mille habitants déterminés. Il n'y a point de lecteur sensé qui ne voie qu'il n'est guère possible qu'une armée de vingt mille hommes en assiège une de soixante mille dans une place fortifiée ; mais les historiens ont toujours voulu du merveilleux.

Ce qui est vrai, c'est qu'après cinq semaines de siège la ville fut emportée d'assaut, et que tout ce qui n'était pas chrétien fut massacré. L'ermite Pierre, de général devenu chapelain, se trouva à la prise et au massacre. Quelques chrétiens, que les musulmans avaient laissé vivre dans la ville, conduisirent les vainqueurs dans les caves les plus reculées, où les mères se cachaient avec leurs enfants, et rien ne fut épargné. Presque tous les historiens conviennent qu'après cette boucherie les chrétiens, tout dégouttants de sang, (1099) allèrent en procession à l'endroit qu'on dit être le sépulcre de Jésus-Christ, et y fondirent en larmes. Il est très vraisemblable qu'ils y donnèrent des marques de religion ; mais cette tendresse qui se manifesta par des pleurs n'est guère compatible avec cet esprit de vertige, de fureur, de débauche et d'emportement. Le même homme peut être furieux et tendre, mais non dans le même temps.

Elmacim rapporte qu'on enferma les Juifs dans la synagogue qui leur avait été accordée par les Turcs, et qu'on les y brûla tous. Cette action est croyable après la fureur avec laquelle on les avait exterminés sur la route.

(5 juillet 1099). Jérusalem fut prise par les croisés tandis qu'Alexis Comnène était empereur d'Orient, Henri IV d'Occident, et qu'Urbain II, chef de l'Eglise romaine, vivait encore. Il mourut avant d'avoir appris ce triomphe de la croisade dont il était l'auteur.

Les seigneurs, maîtres de Jérusalem, s'assemblaient déjà pour donner un roi à la Judée. Les ecclésiastiques suivant l'armée se rendirent dans l'assemblée, et osèrent déclarer nulle l'élection qu'on allait faire, parce qu'il fallait, disaient-ils, faire un patriarche avant de faire un souverain.

Cependant Godefroy de Bouillon fut élu, non pas roi, mais duc de Jérusalem. Quelques mois après arriva un légat nommé Damberto, qui se fit nommer patriarche par le clergé ; et la première chose que fit ce patriarche, ce fut de prendre le petit royaume de Jérusalem pour lui-même au nom du pape. Il fallut que Godefroy de Bouillon, qui avait conquis la ville au prix de son sang, la cédât à cet évêque. Il se réserva le port de Joppé, et quelques droits dans Jérusalem. Sa patrie, qu'il avait abandonnée, valait bien au-delà de ce qu'il avait acquis en Palestine.

(Chapitre LIV, 1750.)

2.2. LA PRISE DE JÉRUSALEM PAR SALADIN

[...]. Au milieu de tant de ruines s'élevait le grand Salaheddin, qu'on nommait en Europe Saladin. C'était un Persan d'origine, du petit pays des Curdes, nation toujours guerrière et toujours libre. Il fut un de ces capitaines qui s'emparaient des terres des califes ; et aucun ne fut aussi puissant que lui. Il conquit en peu de temps l'Egypte, la Syrie, l'Arabie, la Perse et la Mésopotamie. Saladin, maître de tant de pays, songea bientôt à conquérir le royaume de Jérusalem. De violentes factions déchiraient ce petit Etat, et hâtaient sa ruine. Guy de Lusignan, couronné roi, mais à qui on disputait la couronne, rassembla dans la Galilée tous ces chrétiens divisés que le péril réunissait, et marcha contre Saladin, l'évêque de Ptolémaïs portant la chape par-dessus sa cuirasse, et tenant entre ses bras une croix qu'on persuada aux chrétiens être la même qui avait été l'instrument de la mort de Jésus-Christ. Cependant tous les chrétiens furent tués ou pris. Le roi captif, qui ne s'attendait qu'à la mort, fut étonné d'être traité par Saladin comme aujourd'hui les prisonniers de guerre le sont par les généraux les plus humains.

Saladin présenta de sa main à Lusignan une coupe de liqueur rafraîchie dans la neige. Le roi, après avoir bu, voulut donner la coupe à un de ses capitaines, nommé Renaud de Châtillon. C'était une coutume inviolable établie chez les musulmans, et qui se conserve encore chez quelques Arabes, de ne point faire mourir les prisonniers auxquels ils avaient donné à boire et à manger : ce droit de l'ancienne hospitalité était sacré pour Saladin. Il ne souffrit pas que Renaud de Châtillon bût après le roi. Ce capitaine avait violé plusieurs fois sa promesse : le vainqueur avait juré de le punir ; et, montrant qu'il savait se venger comme pardonner, il abattit d'un coup de sabre la tête de ce perfide (1187). Arrivé aux portes de Jérusalem, qui ne pouvait plus se défendre, il accorda à la reine, femme de Lusignan, une capitulation qu'elle n'espérait pas ; il lui permit de se retirer où elle voudrait. Il n'exigea aucune rançon des Grecs qui demeuraient dans la ville. Lorsqu'il fit son entrée dans Jérusalem, plusieurs femmes vinrent se jeter à ses pieds en lui redemandant, les unes leurs maris, les autres leurs enfants ou leurs pères qui étaient dans ses fers ; il les leur rendit avec une générosité qui n'avait pas encore eu d'exemple dans cette partie du monde. Saladin fit laver avec de l'eau-rose, par les mains même des chrétiens, la mosquée qui avait été changée en église : il y plaça une chaire magnifique, à laquelle Noradin, soudan d'Alep, avait travaillé lui-même, et fit graver sur la porte ces paroles : « Le roi Saladin, serviteur de Dieu, mit cette inscription après que Dieu eut pris Jérusalem par ses mains. »

Il établit des écoles musulmanes ; mais, malgré son attachement à sa religion, il rendit aux chrétiens orientaux l'église qu'on appelle du Saint-Sépulcre, quoiqu'il ne soit point du tout vraisemblable que Jésus ait été enterré en cet endroit. Il faut ajouter que

Saladin, au bout d'un an, rendit la liberté à Guy de Lusignan, en lui faisant jurer qu'il ne porterait jamais les armes contre son libérateur. Lusignan ne tint pas sa parole...

(Chapitre LVI, 1750.)

2.3. SAINT LOUIS ET LA DERNIÈRE CROISADE

Si la fureur des croisades et la religion des serments avaient permis à la vertu de Louis d'écouter la raison, non seulement il eût vu le mal qu'il faisait à son pays, mais l'injustice extrême de cet armement qui lui paraissait si juste.

Le projet n'eût-il été que d'aller mettre les Français en possession du misérable terrain de Jérusalem, ils n'y avaient aucun droit. Mais on marchait contre le vieux et sage Mélecsala, soudan d'Egypte, qui certainement n'avait rien à démêler avec le roi de France. Mélecsala était musulman ; c'était là le seul prétexte de lui faire la guerre. Mais il n'y avait pas plus de raisons à ravager l'Egypte parce qu'elle suivait les dogmes de Mahomet, qu'il n'y en aurait aujourd'hui à porter la guerre à la Chine parce que la Chine est attachée à la morale de Confucius.

Louis mouilla dans l'île de Chypre : le roi de cette île se joint à lui ; on aborde en Egypte. Le soudan d'Egypte ne possédait point Jérusalem. La Palestine alors était ravagée par les Corasmins : le sultan de Syrie leur abandonnait ce malheureux pays ; et le calife de Bagdad, toujours reconnu et toujours sans pouvoir, ne se mêlait plus de ces guerres. Il restait encore aux chrétiens Ptolémaïs, Tyr, Antioche, Tripoli. Leurs divisions les exposaient continuellement à être écrasés par les soldats turcs et par les Corasmins.

Dans ces circonstances il est difficile de voir pourquoi le roi de France choisissait l'Egypte pour le théâtre de sa guerre. Le vieux Mélecsala, malade, demanda la paix ; on la refusa. Louis était renforcé par de nouveaux secours arrivés de France, suivi de soixante mille combattants, obéi, aimé, ayant en tête des ennemis déjà vaincus, un soudan qui touchait à sa fin. Qui n'eût cru que l'Egypte et bientôt la Syrie seraient domptées? Cependant la moitié de cette armée florissante périt de maladie ; l'autre moitié est vaincue près de la Massoure. Saint Louis voit tuer son frère Robert d'Artois ; il est pris avec ses deux autres frères, le comte d'Anjou et le comte de Poitiers (1250). Ce n'était plus alors Mélecsala qui régnait en Egypte, c'était son fils Almoadan. Ce nouveau soudan avait certainement de la grandeur d'âme ; car le roi Louis lui ayant offert pour sa rançon et pour celle des prisonniers un million de besants d'or, Almoadan lui en remit la cinquième partie.

(Chapitre LVIII, 1750.)

3. VOLTAIRE COMMENTATEUR DE SON ŒUVRE

3.1. L' « ÉPÎTRE DÉDICATOIRE A M. FALKENER »

A. Justification de la nouveauté de l'entreprise.

[...] A l'égard du style de cette épître, j'ai cru qu'il était temps de ne plus ennuyer le public, d'examens sérieux, de règles, de disputes et de réponses à des critiques dont il ne se soucie guère. J'ai imaginé une préface d'un genre nouveau dans un goût léger qui plaît par lui-même, et à l'abri de ce badinage je dis des vérités que peut-être je n'oserais pas hasarder dans un style sérieux...
L'éloge que je fais de Louis XIV est plutôt un encouragement qu'un reproche pour un jeune roi [...].

> *Lettre à M. de Cideville.* (19 décembre 1732.)

[...] Plus je relis cette épître dédicatoire, plus j'y trouve des vérités utiles adoucies par un badinage innocent [...]. Ce qui regarde la pauvre Le Couvreur est un fait connu de toute la terre et dont j'aime à faire sentir la honte [...].

> *Lettre à M. de Formont.* (Ce dimanche [? 21 décembre 1732].)

B. De la première à la seconde version.

[...] M. Rouillé, en voyant cette épître, a dit que l'endroit de Mlle Le Couvreur était le seul qu'un approbateur ne puisse passer, et c'est lui-même qui a donné le conseil de faire paraître deux éditions, la première sans l'épître et avec le privilège, la seconde avec l'épître et sans privilège. C'est à quoi je me suis déterminé. J'ai écrit à Jore en conséquence. Je lui ai recommandé d'imprimer l'épître à part avec un nouveau titre et de me l'envoyer à Versailles, tandis que l'édition entière de la tragédie viendra à la chambre syndicale avec toutes les formalités ridicules dont la librairie est enchevêtrée [...]. On me reprochera, dit-on, de mettre une lettre badine à la tête d'une tragédie chrétienne. Ma pièce n'est pas, Dieu merci, plus chrétienne que turque. J'ai prétendu faire une tragédie tendre et intéressante et non pas un sermon [...]. En un mot, une préface m'aurait ennuyé et la lettre à Falkener m'a beaucoup diverti [...].

> *Lettre à M. de Formont.* (Ce dimanche [? 21 décembre 1732].)

[...] Lorsque je vous écrivis il y a quelques jours, mon cher Cideville, et que je vous mandai que ceux qui sont à la tête de la librairie, permettaient tacitement l'impression de l'épître dédicatoire de *Zaïre,* j'oubliai comme un étourdi de vous dire que ces messieurs voulaient n'être point cités. Malheureusement pour moi votre premier président est venu à Paris, et il a conté toute l'affaire à M. Rouillé, qui est avec raison très fâché contre moi. C'est bien ma faute, et je ne vous le mande que parce que vous vous intéressez à moi, et que j'aime autant m'entretenir avec vous quand j'ai tort, que quand je pense avoir raison [...].

A M. de Cideville. (Mardi [30 décembre 1732].)

[...] Il a fallu que j'aie changé l'épître dédicatoire de *Zaïre,* qui aurait paru tout uniment et sans contradiction, sans le malentendu entre M. voir PP. et M. de Rouillé. Heureusement, toute cette petite noise est entièrement apaisée. J'ai sacrifié mon épître, et j'en fais une autre [...].

A M. de Cideville. (Ce dimanche [4 janvier 1733].)

[...] On a été assez surpris ici que j'aie dédié mon ouvrage à un marchand, et à un étranger, mais ceux qui en ont été étonnés ne méritent pas qu'on leur dédie jamais rien. Ce qui me fâche le plus c'est que la véritable épître dédicatoire a été supprimée par M. Rouillé à cause de deux ou trois vérités qui ont déplu, uniquement parce qu'elles étaient vérités. L'Epître qui est aujourd'hui au-devant de *Zaïre* n'est donc point la véritable. Mais ce qui vous paraîtra assez plaisant et très digne d'un poète et surtout de moi, c'est que dans cette véritable je promettais de ne plus faire de tragédies et que le jour même qu'elle fut imprimée, je commençai une pièce nouvelle.

A M. Thieriot. (A Paris, ce 24 février 1733.)

3.2. UN COMMENTAIRE SUIVI DE *ZAÏRE :* LA LETTRE A M. DE LA ROQUE (1732)

A. La place de l'amour.

[...] *Zaïre* est la première pièce de théâtre dans laquelle j'aie osé m'abandonner à toute la sensibilité de mon cœur ; c'est la seule tragédie tendre que j'aie faite. Je croyais, dans l'âge même des passions les plus vives, que l'amour n'était point fait pour le théâtre tragique. Je ne regardais cette faiblesse que comme un défaut charmant qui avilissait l'art des Sophocle. Les connaisseurs qui se plaisent plus à la douceur élégante de Racine qu'à la force de Corneille me paraissaient ressembler aux curieux qui préfèrent les nudités du Corrège, au chaste et noble pinceau de Raphaël.

Le public qui fréquente les spectacles est aujourd'hui plus que jamais dans le goût du Corrège. Il faut de la tendresse et du sentiment ; c'est même ce que les acteurs jouent le mieux. Vous trouverez vingt comédiens qui plairont dans les rôles d'Anfronic et d'Hippolyte, et à peine un seul qui réussisse dans ceux de Cinna et d'Horace. Il a donc fallu me plier aux mœurs du temps, et commencer tard à parler d'amour.

J'ai cherché du moins à couvrir cette passion de toute la bienséance possible ; et, pour l'ennoblir, j'ai voulu la mettre à côté de ce que les hommes ont de plus respectable. L'idée me vint de faire contraster dans un même tableau, d'un côté, l'honneur, la naissance, la patrie, la religion ; et de l'autre, l'amour le plus tendre et le plus malheureux ; les mœurs des mahométans et celles des chrétiens ; la cour d'un soudan, et celle d'un roi de France ; et de faire paraître, pour la première fois, des Français sur la scène tragique.

B. La mise en œuvre.

Je n'ai pris dans l'histoire que l'époque de la guerre de Saint Louis ; tout le reste est entièrement d'invention. L'idée de cette pièce étant si neuve et si fertile s'arrangea d'elle-même, et au lieu que le plan d'*Eriphyle* m'avait beaucoup coûté, celui de *Zaïre* fut fait en un seul jour, et l'imagination, échauffée par l'intérêt qui régnait dans ce plan, acheva la pièce en vingt-deux jours.

Il entre peut-être un peu de vanité dans cet aveu (car où est l'artiste sans amour-propre ?) ; mais je devais cette excuse au public, des fautes et des négligences qu'on a trouvées dans ma tragédie. Il aurait été mieux sans doute d'attendre à la faire représenter que j'en eusse châtié le style ; mais des raisons dont il est inutile de fatiguer le public n'ont pas permis qu'on différât...

C. Le sujet.

[...] Voici, monsieur, le sujet de cette pièce.

La Palestine avait été enlevée aux princes chrétiens par le conquérant Saladin. Noradin, Tartare d'origine, s'en était ensuite rendu maître. Orosmane, fils de Noradin, jeune homme plein de grandeur, de vertus et de passions, commençait à régner avec gloire dans Jérusalem. Il avait porté sur le trône de la Syrie la franchise et l'esprit de liberté de ses ancêtres. Il méprisait les règles austères du sérail, et n'affectait point de se rendre invisible aux étrangers et à ses sujets, pour devenir plus respectable. Il traitait avec douceur les esclaves chrétiens, dont son sérail et ses Etats étaient remplis. Parmi ses esclaves il s'était trouvé un enfant, pris autrefois au sac de Césarée, sous le règne de Noradin. Cet enfant, ayant été racheté par des chrétiens à l'âge de neuf ans, avait été amené en France au roi Saint Louis, qui avait daigné prendre soin de son éducation et de sa fortune. Il avait pris en France le nom de Nérestan et, étant retourné en Syrie, il avait été fait prisonnier encore une fois et avait été enfermé parmi les esclaves d'Orosmane. Il retrouva dans la captivité une jeune personne avec qui il avait été prisonnier dans son enfance lorsque les chrétiens avaient perdu Césarée.

D. L'acte premier.

Cette jeune personne, à qui on avait donné le nom de Zaïre,

ignorait sa naissance, aussi bien que Nérestan et que tous ces enfants de tribut qui sont enlevés de bonne heure des mains de leurs parents, qui ne connaissent de famille et de patrie que le sérail. Zaïre savait seulement qu'elle était née chrétienne ; Nérestan et quelques autres esclaves, un peu plus âgés qu'elle, l'en assuraient. Elle avait toujours conservé un ornement qui renfermait une croix, seule preuve qu'elle eût de sa religion. Une autre esclave, nommé Fatime, née chrétienne, et mise au sérail à l'âge de dix ans, tâchait d'instruire Zaïre du peu qu'elle savait de la religion de ses pères. Le jeune Nérestan, qui avait la liberté de voir Zaïre et Fatime, animé du zèle qu'avaient alors les chevaliers français, touché d'ailleurs pour Zaïre de la plus tendre amitié, la disposait au christianisme. Il se proposa de racheter Zaïre, Fatime et dix chevaliers chrétiens, du bien qu'il avait acquis en France, et de les amener à la cour de Saint Louis. Il eut la hardiesse de demander au soudan Orosmane la permission de retourner en France sur sa seule parole, et le soudan eut la générosité de le permettre. Nérestan partit et fut deux ans hors de Jérusalem.

Cependant, la beauté de Zaïre croissait avec son âge, et la naïveté touchante de son caractère la rendait encore plus aimable que sa beauté. Orosmane la vit et lui parla. Un cœur comme le sien ne pouvait l'aimer qu'éperdument. Il résolut de bannir la mollesse qui avait efféminé tant de rois de l'Asie, et d'avoir dans Zaïre un ami, une maîtresse, une femme qui lui tiendrait lieu de tous les plaisirs, et qui partagerait son cœur avec les devoirs d'un prince et d'un guerrier. Les faibles idées du christianisme, tracées à peine dans le cœur de Zaïre, s'évanouirent bientôt à la vue du soudan ; elle l'aima autant qu'elle en était aimée, sans que l'ambition se mêlât en rien à la pureté de sa tendresse.

Nérestan ne revenait point de France. Zaïre ne voyait qu'Orosmane et son amour ; elle était prête d'épouser le sultan, lorsque le jeune Français arriva. Orosmane le fait entrer en présence même de Zaïre. Nérestan apportait, avec la rançon de Zaïre et de Fatime, celle de dix chevaliers qu'il devait choisir. « J'ai satisfait à mes serments, dit-il au soudan : c'est à toi de tenir ta promesse, de me remettre Zaïre, Fatime et les dix chevaliers ; mais apprends que j'ai épuisé ma fortune à payer leur rançon : une pauvreté noble est tout ce qui me reste ; je viens me remettre dans tes fers. » Le soudan, satisfait du grand courage de ce chrétien, et né pour être plus généreux encore, lui rendit toutes les rançons qu'il apportait, lui donna cent chevaliers au lieu de dix et le combla de présents ; mais il fit entendre que Zaïre n'était pas faite pour être rachetée et qu'elle était d'un prix au-dessus de toutes rançons. Il refusa aussi de lui rendre, parmi les chevaliers qu'il délivrait, un prince de Lusignan, fait esclave depuis longtemps dans Césarée.

Ce Lusignan, le dernier de la branche des rois de Jérusalem, était un vieillard respecté dans l'Orient, l'amour de tous les chrétiens et dont le nom seul pouvait être dangereux aux Sarrasins. C'était lui principalement que Nérestan avait voulu racheter ; il parut, devant Orosmane, accablé du refus qu'on lui faisait de Lusignan et de Zaïre ; le soudan remarqua ce trouble ; il sentit dès ce moment un commencement de jalousie que la générosité de son caractère lui fit étouffer ; cependant il ordonna que les cent chevaliers fussent prêts à partir le lendemain avec Nérestan.

E. L'acte II.

Zaïre, sur le point d'être sultane, voulut donner au moins à Nérestan une preuve de sa reconnaissance ; elle se jette aux pieds d'Orosmane pour obtenir la liberté du vieux Lusignan. Orosmane ne pouvait rien refuser à Zaïre ; on alla tirer Lusignan des fers. Les chrétiens délivrés étaient avec Nérestan dans les appartements extérieurs du sérail ; ils pleuraient la destinée de Lusignan : surtout le chevalier de Châtillon, ami tendre de ce malheureux prince, ne pouvait se résoudre à accepter une liberté qu'on refusait à son ami et à son maître, lorsque Zaïre arrive et leur amène celui qu'ils n'espéraient plus.

Lusignan, ébloui de la lumière qu'il revoyait après vingt années de prison, pouvant se soutenir à peine, ne sachant où il est et où on le conduit, voyant enfin qu'il était avec des Français, et reconnaissant Châtillon s'abandonne à cette joie mêlée d'amertume que les malheureux éprouvent dans leur consolation.

Il demande à qui il doit sa délivrance. Zaïre prend la parole en lui présentant Nérestan : « C'est à ce jeune Français, dit-elle, que vous et tous les chrétiens devez votre liberté. » Alors le vieillard apprend que Nérestan a été élevé dans le sérail avec Zaïre, et se tournant vers eux : « Hélas ! dit-il, puisque vous avez pitié de mes malheurs, achevez votre ouvrage ; instruisez-moi du sort de mes enfants. Deux me furent enlevés au berceau, lorsque je fus pris dans Césarée ; deux autres furent massacrés devant moi avec leur mère. Ô mes fils ! ô martyrs ! veillez du haut du ciel sur mes autres enfants, s'ils sont vivants encore. Hélas ! j'ai su que mon dernier fils et ma fille furent conduits dans ce sérail. Vous qui m'écoutez, Nérestan, Zaïre, Châtillon, n'avez-vous nulle connaissance de ces tristes restes du sang de Godefroi et de Lusignan ? »

Au milieu de ces questions, qui déjà remuaient le cœur de Nérestan et de Zaïre, Lusignan aperçut au bras de Zaïre un ornement qui renfermait une croix : il se ressouvint que l'on avait mis cette parure à sa fille lorsqu'on la portait au baptême ; Châtillon l'en avait ornée lui-même, et Zaïre avait été arrachée de ses bras avant d'être baptisée. La ressemblance des traits, l'âge, toutes les circonstances, une cicatrice de la blessure que son jeune fils avait reçue, tout confirme à Lusignan qu'il est père encore ; et la nature parlant à la fois au cœur de tous les trois, et s'expliquant par des larmes : « Embrassez-moi, mes chers enfants, s'écria Lusignan, et revoyez votre père! » Zaïre et Nérestan ne pouvaient s'arracher de ses bras. « Mais, hélas! dit ce vieillard infortuné, goûterai-je une joie pure? Grand Dieu, qui me rends ma fille, me la rends-tu chrétienne? » Zaïre rougit et frémit à ces paroles. Lusignan vit sa honte et son malheur, et Zaïre avoua qu'elle était musulmane. La douleur, la religion et la nature donnèrent en ce moment des forces à Lusignan; il embrassa sa fille et lui montrant d'une main le tombeau de Jésus-Christ et le ciel de l'autre, animé de son désespoir, de son zèle, aidé de tant de chrétiens, de son fils, et du Dieu qui l'inspire, il touche sa fille, il l'ébranle ; elle se jette à ses pieds et lui promet d'être chrétienne.

Au moment arrive un officier du sérail, qui sépare Zaïre de son père et de son frère, et qui arrête tous les chevaliers français. Cette rigueur inopinée était le fruit d'un conseil qu'on venait de tenir en présence d'Orosmane.

F. L'acte III.

La flotte de Saint Louis était partie de Chypre et on craignait pour les côtes de Syrie, mais un second courrier ayant apporté la nouvelle du départ de Saint Louis pour l'Egypte, Orosmane fut rassuré; il était lui-même ennemi du soudan d'Egypte. Ainsi n'ayant rien à craindre, ni du roi, ni des Français qui étaient à Jérusalem, il commanda qu'on les renvoyât à leur roi et ne songea plus qu'à réparer, par la pompe et la magnificence de son mariage, la rigueur dont il avait usé envers Zaïre.

Pendant que le mariage se préparait, Zaïre désolée demanda au soudan la permission de revoir Nérestan encore une fois. Orosmane, trop heureux de trouver une occasion de plaire à Zaïre, eut l'indulgence de permettre cette entrevue. Nérestan revit donc Zaïre; mais ce fut pour lui apprendre que son père était près d'expirer, qu'il mourait entre la joie d'avoir retrouvé ses enfants et l'amertume d'ignorer si Zaïre serait chrétienne, et qu'il lui ordonnait en mourant d'être baptisée ce jour-là même de la main du pontife de Jérusalem. Zaïre, attendrie et vaincue, promit tout et jura à son frère qu'elle ne trahirait point le sang dont elle était née, qu'elle serait chrétienne, qu'elle n'épouserait point Orosmane, qu'elle ne prendrait aucun parti avant que d'avoir été baptisée.

A peine avait-elle prononcé ces serments, qu'Orosmane, plus amoureux et plus aimé que jamais, vient la prendre pour la conduire à la mosquée. Jamais on eut le cœur plus déchiré que Zaïre; elle était partagée entre son Dieu, sa famille et son nom, qui la retenaient, et le plus aimable de tous les hommes qui l'adorait. Elle ne se connut plus; elle céda à la douleur, et s'échappa des mains de son amant, le quittant avec désespoir, et le laissant dans l'accablement de la surprise, de la douleur et de la colère.

Les impressions de jalousie se réveillèrent dans le cœur d'Orosmane. L'orgueil les empêcha de paraître, et l'amour les adoucit. Il prit la fuite de Zaïre pour un caprice, pour un artifice innocent, pour la crainte naturelle à une jeune fille, pour toute autre chose enfin que pour une trahison. Il vit encore Zaïre, lui pardonna, et l'aima plus que jamais. L'amour de Zaïre augmentait par la tendresse indulgente de son amant. Elle se jette en larmes à ses genoux, le supplie de différer le mariage jusqu'au lendemain. Elle comptait que son frère serait alors parti, qu'elle aurait reçu le baptême, que Dieu lui donnerait la force de résister; elle se flattait même quelquefois que la religion chrétienne lui permettrait d'aimer un homme si tendre, si généreux, si vertueux, à qui il ne manquait que d'être chrétien. Frappée de toutes ces idées, elle parlait à Orosmane avec une tendresse si naïve et une douleur si vraie, qu'Orosmane céda encore, et lui accorda le sacrifice de vivre sans elle ce jour-là. Il était sûr d'être aimé; il était heureux dans cette idée, et fermait les yeux sur le reste.

Cependant, dans les premiers mouvements de jalousie, il avait ordonné que le sérail fût fermé à tous les chrétiens.

G. L'acte IV.

Nérestan, trouvant le sérail fermé, et n'en soupçonnant pas la cause, écrivit une lettre pressante à Zaïre : il lui mandait d'ouvrir une porte secrète qui conduisait vers la mosquée, et lui recommandait d'être fidèle.

La lettre tomba entre les mains d'un garde qui la porta à Orosmane. Le soudan en crut à peine ses yeux; il se vit trahi; il ne douta pas de son malheur et du crime de Zaïre. Après avoir comblé un étranger, un captif, de bienfaits; avoir donné son cœur, sa couronne à une fille esclave, lui avoir tout sacrifié; ne vivre que pour elle et en être trahi pour ce captif même; être trompé par les apparences du plus tendre amour; éprouver en ce moment ce que l'amour a de plus violent, ce que l'ingratitude a de plus noir, ce que la perfidie a de plus traître : c'était sans doute un état horrible; mais Orosmane aimait, et il souhaitait de trouver Zaïre innocente. Il lui fait rendre ce billet par un esclave inconnu. Il se flatte que Zaïre pouvait ne point écouter Nérestan; Nérestan seul lui paraissait coupable. Il ordonne qu'on l'arrête et qu'on l'enchaîne, et il va à l'heure et à la place du rendez-vous, attendre l'effet de la lettre.

H. L'acte V.

La lettre est rendue à Zaïre, elle la lit en tremblant; et après avoir longtemps hésité, elle dit enfin à l'esclave qu'elle attendra Nérestan, et donne ordre qu'on l'introduise. L'esclave rend compte de tout à Orosmane.

Le malheureux soudan tombe dans l'excès d'une douleur mêlée de fureur et de larmes. Il tire son poignard, et il pleure. Zaïre vient au rendez-vous dans l'obscurité de la nuit. Orosmane entend sa voix, et son poignard lui échappe. Elle approche, elle appelle Nérestan, et à ce nom Orosmane la poignarde.

Dans l'instant on lui amène Nérestan enchaîné, avec Fatime, complice de Zaïre. Orosmane, hors de lui, s'adresse à Nérestan, en le nommant son rival. « C'est toi qui m'arraches Zaïre, dit-il ; regarde-la avant que de mourir ; que ton supplice commence avec le sien ; regarde-la, te dis-je. » Nérestan approche de ce corps expirant : « Ah! que vois-je, ah! ma sœur! Barbare, qu'as-tu fait? » A ce mot de sœur, Orosmane est comme un homme qui revient d'un songe funeste ; il connaît son erreur ; il voit ce qu'il a perdu ; il est trop abîmé dans l'horreur de son état pour se plaindre. Nérestan et Fatime lui parlent ; mais, de tout ce qu'ils disent, il n'entend autre chose, sinon qu'il était aimé. Il prononce le nom de Zaïre, il court à elle ; on l'arrête, il retombe dans l'engourdissement de son désespoir. « Qu'ordonnes-tu de moi? » lui dit Nérestan. Le soudan, après un long silence, fait ôter les fers à Nérestan, le comble de largesses, lui et tous les chrétiens, et se tue auprès de Zaïre...

4. VOLTAIRE ACTEUR DANS *ZAÏRE*

Zaïre a été représentée chez madame de Fontaine-Martel devant M. le cardinal de Polignac : mademoiselle de Lambert jouait le rôle de Zaïre ; mademoiselle de Grand-Champs, nièce de madame d'Andrezel celui de Fatime, qui est la confidente ; le marquis de Thibouville, colonel du régiment de la reine-dragons, celui d'Orosmane, soudan, M. d'Herbigny, son frère, celui de Nérestan ; et Voltaire lui-même celui de Lusignan. Tous ces rôles furent bien remplis, à celui de Lusignan près, dans lequel Voltaire prit une vivacité qui tenait de la frénésie et qui était d'autant moins vraisemblable, que Lusignan dans cette pièce est tiré tout à coup d'un cachot où il était resté plus de vingt ans.

Journal de la Cour de Paris
(28 novembre 1732 - 30 novembre 1733),
in *Revue rétrospective* (Paris, 1836, tome V, pages 47-48).

JUGEMENTS SUR « ZAÏRE »

XVIIIe SIÈCLE

Celle-ci [ma nouvelle tragédie] sera faite pour le cœur, autant qu'*Eriphyle* était faite pour l'imagination. La scène sera dans un lieu bien singulier, l'action se passera entre des Turcs et des chrétiens. Je peindrai leurs mœurs autant qu'il me sera possible et je tâcherai de jeter dans cet ouvrage tout ce que la religion chrétienne semble avoir de plus pathétique et de plus intéressant, et tout ce que l'amour a de plus tendre et de plus cruel.

> Voltaire,
> *Lettre à M. de Cideville* (29 mai 1732).

Tout le monde me reproche ici que je ne mets point d'amour dans mes pièces. Ils en auront, cette fois-ci, je vous le jure, et ce ne sera pas de la galanterie. Je veux qu'il n'y ait rien de si turc, de si chrétien, de si amoureux, de si tendre, de si furieux que ce que je versifie pour leur plaire. [...] Ou je suis fort trompé, ou ce sera la pièce la plus singulière que nous ayons au théâtre. Les noms de Montmorency, de Saint Louis, de Saladin, de Jésus et de Mahomet s'y trouveront. On y parlera de la Seine et du Jourdain, de Paris et de Jérusalem. On aimera, on baptisera, on tuera.

> Voltaire,
> *Lettre à M. de Formont* (29 mai 1732).

Eriphyle est mieux écrite que Zaïre, mais tous les ornements, tout l'esprit et toute la force de la poésie ne valent pas ce qu'on dit d'un trait de sentiment.

> Voltaire,
> *Lettre à M. de Cideville et à M. de Formont* (25 août 1732).

Il me semble qu'on voit assez dans la première scène qu'elle serait chrétienne si elle n'aimait pas Orosmane. Fatime, Nérestan et la croix avaient déjà fait quelque impression sur son cœur. Son père, son frère et la grâce achèvent cette affaire au second acte. La grâce surtout ne doit point effaroucher; c'est un être poétique et à qui l'illusion est attachée depuis longtemps. Pour le style, il ne faut pas s'attendre à celui de *la Henriade*. Une loure ne se joue point sur le ton de la descente de Mars. [...] Il a fallu, ce me semble, répandre de la mollesse et de la facilité dans une pièce qui roule tout entière sur le sentiment.

> Voltaire,
> *Lettre à M. de Formont* (vers le 15 décembre 1732).

On croirait, par votre lettre, que j'ai écrit quelque chose d'horrible sur des matières sacrées. Je n'ai pourtant fait aucun ouvrage dont la religion et les mœurs ne fussent le fondement : *la Henriade, Alzire, Zaïre* en sont des preuves assez publiques.

Voltaire,
Lettre à Mlle Quinault. Ce 26 (novembre 1736).

Je serais curieux de trouver quelqu'un, homme ou femme, qui s'osât vanter d'être sorti d'une représentation de *Zaïre* bien prémuni contre l'amour. Pour moi, je crois entendre chaque spectateur dire en son cœur à la fin de la tragédie : « Ah! qu'on me donne une Zaïre et je ferai bien en sorte de ne pas la tuer. » Si les femmes n'ont pu se lasser de courir en foule à cette pièce enchanteresse et d'y faire courir les hommes, je ne dirai point que c'est pour s'encourager, par l'exemple de l'héroïsme, à n'imiter pas un sacrifice qui lui réussit si mal; mais c'est parce que, de toutes les tragédies qui sont au théâtre, nulle autre ne montre avec plus de charmes le pouvoir de l'amour et l'empire de la beauté.

J.-J. Rousseau,
Lettre à d'Alembert sur les spectacles (1758).

Je vous avoue que j'aime mieux une scène de César ou de Cicéron (dans *Rome sauvée*) que toute cette intrigue d'amour que je filais il y a trente-cinq ans Mais le parterre de Paris et les loges sont plus galants que moi : ils donnent la préférence à ma quinauderie.

Voltaire,
Lettre à Villette (4 octobre 1767).

Voltaire entend à merveille, si je puis m'exprimer ainsi, le style de chancellerie de l'amour, c'est-à-dire le langage et le ton dont l'amour se sert quand il veut s'exprimer avec circonspection et avec mesure, et ne rien dire que ce dont il peut répondre devant la prude sophiste et le froid critique. Mais le greffier de la chancellerie n'est pas toujours celui qui sait le mieux les secrets du gouvernement; ou si Voltaire a vu aussi profondément que Shakespeare dans l'essence de l'amour, il n'a pas voulu le montrer ici et l'œuvre est restée bien au-dessous de l'auteur.

On en peut dire à peu près autant de la jalousie. Orosmane jaloux fait assez pauvre figure en face d'Othello. Et cependant Othello a servi manifestement de modèle à Orosmane. Cibber dit que Voltaire s'est emparé de la torche qui a mis le feu au bûcher tragique dressé par Shakespeare. J'aurais dit : « Il a dérobé à ce bûcher enflammé un brandon, et encore un brandon qui fume plus qu'il ne brille et n'échauffe. »

Lessing,
Dramaturgie de Hambourg (1767).

Je ne crois pas trop hasarder en assurant que *Zaïre* est la plus touchante de toutes les tragédies qui existent. [...] Je regarde *Zaïre* comme un drame égal à ce qu'il y a de plus beau pour la conception et l'ensemble, et supérieur à tout dans l'intérêt. [...] L'art de l'intrigue, la progression de l'intérêt soutenue jusqu'au dernier vers, la réunion de tout ce que la nature et les passions ont de plus puissant pour émouvoir, de tout ce que le malheur extrême peut inspirer de pitié; ce degré d'intérêt proportionnellement ménagé dans tous les personnages, la vérité des sentiments, le charme continuel du style, malgré quelques négligences, le prodigieux effet qui résulte de cet ensemble et qui est le même sur tous les ordres de spectateurs, tout me fait voir dans *Zaïre* l'ouvrage le plus éminemment tragique que l'on ait jamais conçu. Elle fait pleurer le peuple comme les gens instruits; et quand les ressorts et l'exécution sont admirés des connaisseurs, si l'effet peut aller jusqu'à devenir, pour ainsi dire, populaire, c'est sans contredit le plus grand triomphe d'un art qui a pour but principal d'émouvoir les hommes rassemblés.

La Harpe,
Cours de littérature (1799).

XIXᵉ SIÈCLE

Dans *Zaïre*, si vous touchez à la religion, tout est détruit. Jésus-Christ n'a pas soif de sang; il ne veut pas le sacrifice d'une passion. A-t-il le droit de le demander, ce sacrifice? Eh! qui pourrait en douter? N'est-ce pas pour racheter Zaïre qu'il a été attaché à une croix, qu'il a supporté l'insulte, les dédains et les injustices des hommes, qu'il a bu jusqu'à la lie le calice d'amertume? Et Zaïre irait donner son cœur et sa main à ceux qui ont persécuté ce Dieu charitable! à ceux qui tous les jours immolent les chrétiens! à ceux qui retiennent dans les fers ce successeur de Bouillon, ce défenseur de la foi, ce père de Zaïre! Certes, la religion n'est pas inutile ici; et qui la supprimerait anéantirait la pièce.

Chateaubriand,
Génie du christianisme (1802).

Zaïre est dans toutes les mémoires; jamais la poésie de Voltaire n'eut plus de grâce et de vivacité! Jamais la faiblesse assez fréquente de son expression ne fut mieux cachée aux yeux éblouis. Zaïre, c'est l'*Athalie* de Voltaire, c'est l'inspiration la plus heureuse d'un génie qui n'était pas fait pour la perfection. [...] Si, dans le fond même emprunté à Shakespeare, la jalousie et le meurtre, Voltaire est inférieur pour le pathétique et pour l'art, s'il est moins énergique, moins naturel, moins vraisemblable, il a cependant jeté dans *Zaïre* un charme et un intérêt sans égal. Ce qu'il a créé dédommage de ce qu'il a faiblement imité; et, quoique Voltaire ait cru plaisanter en comparant cette pièce à *Polyeucte*, c'est l'épisode chrétien, c'est Lusignan et la croisade qui a fait l'immortelle beauté de *Zaïre*.

A. F. Villemain,
Tableau de la littérature française au XVIIIᵉ siècle (1840).

XXᵉ SIÈCLE

Le jaloux Orosmane tuant la tendre Zaïre, transposition gracieuse d'*Othello*, du Shakespeare en biscuit et puis les noms de Lusignan, Châtillon et Montmorency, une évocation brillante de chevalerie parmi la turquerie, l'histoire de France portée sur le théâtre comme l'histoire anglaise l'était dans *Henri IV* et dans *Richard III* [...] : qui donc en ces années 1730 caressa de façon plus neuve les sens et l'esprit de la société française?

G. Lanson,
Voltaire (1906).

Il n'aime pas seulement le théâtre en poète; il l'aime en comédien. [...] Et après le plaisir de composer ses pièces il n'en a pas de plus grand que de les jouer. Il y déploierait d'étonnantes qualités d'acteur s'il savait se maîtriser, s'il ne se laissait pas emporter par la sensibilité, s'il ne croyait pas trop que c'est arrivé. Lekain, encore tout jeune, qui l'avait entendu à Sceaux, chez la duchesse du Maine, dans le personnage de Cicéron dans sa *Rome sauvée*, disait qu'on ne pouvait rien entendre de plus vrai, de plus pathétique. « C'était Cicéron lui-même tonnant contre le destructeur de la patrie, des lois, des mœurs, de la religion. » Il jouait le rôle de Lusignan dans *Zaïre* avec une sorte de frénésie. De quelle voix de quel accent convaincu, de quel geste il déclamait :

> Mon Dieu, j'ai combattu soixante ans pour ta gloire!

Et abaissant sur Zaïre ses regards qu'il avait élevés vers le ciel :

> Ton Dieu que tu trahis, ton Dieu que tu blasphèmes,
> Pour toi, pour l'univers, est mort en ces lieux mêmes,
> En ces lieux où mon bras le servit tant de fois,
> En ces lieux où son sang te parle par ma voix.

Ah! certes, on n'avait pas perdu sa soirée quand on avait entendu cela! Un soir, au moment où il reconnaissait ses enfants Nérestan et Zaïre, son émotion fut si forte qu'il éclata en sanglots et oublia ses vers.

A. Bellessort,
Essai sur Voltaire (1925).

Qu'on y réfléchisse : Zaïre n'est pas coupable de n'être pas chrétienne; encore moins, tous ceux qui n'ont jamais entendu prononcer le nom du Christ. Voltaire pose, en passant et le problème des vertus et celui du salut des infidèles. Il se réfère ainsi à une tradition ancienne de la pensée libertine et déiste [...] l'opinion des autres détermine le plus souvent les croyances des hommes, mais c'est un « faux principe d'assentiment », car, si l'on doit se fier au sentiment d'autrui, « les hommes auront raison d'être Payens dans le Japon, Mahométans en Turquie, Catholiques Romains en Espagne, Protestants en Angleterre et Luthériens en Suède » (Locke, *Essai sur l'entendement*). C'est ce que Voltaire entend suggérer par la bouche de Zaïre : les croyances religieuses, adoptées sous l'influence de l'entourage, n'ont pas de fondement rationnel. Aussi sont-elles diverses, alors que la vérité est une. Mais, si graves qu'en fussent les conséquences, la critique philosophique, dans cette tragédie « des cœurs tendres et des âmes pures », n'était pas assez marquée pour que le pouvoir pût s'en alarmer.

R. Pomeau,
la Religion de Voltaire (1956).

Voltaire tua deux fois la tragédie classique, en l'imitant de l'extérieur, en voulant la renouveler : tragédie sans amour (*Mérope*), sans femmes (*la Mort de César*), tragédie exotique (*Alzire, Zaïre, l'Orphelin de la Chine*), à grand spectacle (*Du Guesclin, Sémiramis*), médiévale (*Tancrède*). Il croise les rimes, vide la scène de ses banquettes, emprunte aux Grecs, voire à Shakespeare : toutes les hardiesses romantiques étaient en germe dans ce conformisme éclairé. Mais il s'enlisa entre la docilité et l'innovation.

J. Van den Heuvel,
article « Voltaire », dans *Histoire des littératures*, tome III (1958).

S'il n'y a pas de Racine après Racine, c'est peut-être que les Campistron et les Voltaire, conservant presque toutes les recettes de la dramaturgie classique, en ont oublié l'esprit.

J. Scherer,
la Dramaturgie classique en France (1959).

[Voltaire] nourrit ses drames d'une idéologie cohérente qui fait de l'ensemble de son œuvre théâtrale l'illustration de sa pensée politique, religieuse et morale. De bon ou de mauvais gré, il s'embarque dans la nef du drame.

J. Morel,
la Tragédie (1964).

SUJETS DE DEVOIRS ET D'EXPOSÉS

EXPOSÉS

1. Voltaire à travers Zaïre.

- Le goût de Voltaire d'après Zaïre.
- L'imagination de Voltaire dans Zaïre.
- La sensibilité de Voltaire d'après Zaïre.
- Les idées morales et philosophiques de Voltaire d'après Zaïre.

2. Voltaire et le théâtre.

- Que nous enseigne l'« Épître dédicatoire » sur les rapports entre la création artistique et la société?
- Définissez les tendances du nouveau théâtre, telles qu'on peut les déduire de la « Seconde Épître dédicatoire » et de l'étude de la pièce.

3. La dramaturgie de Zaïre.

- Zaïre et la dramaturgie classique.
- La mise en scène : traditions et nouveautés.
- Etudiez, dans la structure de la pièce, la place des scènes courtes.
- En songeant à l'influence de Shakespeare, déterminez le rôle des coups de théâtre dans le déroulement de l'action.
- Analysez les rapports qui existent entre l'action et l'évolution des sentiments.
- L'expression du pathétique.

4. Les thèmes.

- La situation de la religion dans la pièce.
- Le fanatisme religieux.
- Dieu, la foi, la religion.
- La morale et la religion.
- L'amour et la foi.
- La politique et l'amour.
- La peinture des mœurs.
- La place et le rôle de l'Orient.

5. Les personnages.

- Zaïre et Orosmane.
- Zaïre est-elle une héroïne cornélienne?
- Fatime et Corasmin.
- Lusignan le chrétien.
- La peinture du caractère français à travers les personnages de Zaïre, de Fatime, de Lusignan et de Nérestan.

6. Influences et tradition.

- Orosmane et Pyrrhus.
- Orosmane et Mithridate.
- Zaïre et Pauline.
- Nérestan et Polyeucte.
- Orosmane et Othello.
- Zaïre et Desdémone.
- Dans quelle mesure Voltaire s'est-il souvenu de *Bajazet* en écrivant *Zaïre*?
- Comparez le cinquième acte de *Zaïre* et celui d'*Othello*.

7. La langue.

- Faites la part de l'influence de Racine et de l'originalité dans la poétique de *Zaïre*.
- Le vers voltairien : beauté musicale, tristesse mélancolique, énergie passionnée.
- Le vocabulaire : vérité, naturel, simplicité.
- Les images : étude thématique.
- Le rôle dramatique des maximes
- Le style de Zaïre, de Nérestan, de Corasmin.

8. Études littéraires. Faites l'étude littéraire :

- de la « Seconde Épître dédicatoire »;
- de la scène première de l'acte premier;
- des vers 647 à 688;
- des vers 703 à 746;
- de la scène IV de l'acte III;
- de la scène VI de l'acte IV;
- des scènes VII, VIII, IX et X de l'acte V.

DISSERTATIONS

- Voltaire écrivait à M. de Cideville le 29 mai 1732 : « Ma nouvelle tragédie sera faite pour le cœur, autant qu'*Eriphyle* était faite pour l'imagination. La scène sera dans un lieu bien singulier, l'action se passera entre des Turcs et des chrétiens. Je peindrai leurs mœurs autant qu'il me sera possible et je tâcherai de jeter dans cet ouvrage tout ce que la religion chrétienne semble avoir de plus pathétique et de plus intéressant, et tout ce que l'amour a de plus tendre et de plus cruel. » Retrouve-t-on ces aspects dans la pièce?
- Ce même 29 mai 1732, Voltaire précise à M. de Formont : « Ou je me suis fort trompé, ou ce sera la pièce la plus singulière que nous ayons au théâtre. Les noms de Montmorency, de Saint Louis, de Saladin, de Jésus et de Mahomet s'y trouveront. On y parlera de la Seine et du Jourdain, de Paris et de Jérusalem. On aimera, on baptisera, on tuera. » Montrez ce que pouvait avoir de singulier et de moderne *Zaïre* en 1732.

● « Ma pièce, écrit Voltaire en 1732 à M. de Formont, n'est pas, Dieu merci, plus chrétienne que turque. J'ai prétendu faire une tragédie tendre et intéressante, et non pas un sermon. » Commentez.

● Voltaire affirme dans le *Discours sur la tragédie* (1730) : « Pour que l'amour soit digne du théâtre tragique, il faut qu'il soit le nœud nécessaire de la pièce, et non qu'il soit amené par force pour remplir le vide de vos tragédies [anglaises] et des nôtres qui sont trop longues; il faut que ce soit une passion véritablement tragique, regardée comme une faiblesse et combattue par des remords. Il faut ou que l'amour conduise aux malheurs et aux crimes pour faire voir combien il est dangereux, ou que la vertu en triomphe, pour montrer qu'il n'est pas invincible; sans cela, ce n'est plus qu'un amour d'églogue ou de comédie. » Le dramaturge a-t-il comblé les vœux du théoricien?

● Le 16 octobre 1760, Voltaire écrivait, s'adressant à Mᶦˡᵉ Clairon : « J'ai crié trente ou quarante ans qu'on donnât du spectacle dans nos conversations en vers appelées tragédies. » A la lumière de *Zaïre* peut-on justifier cette définition de la tragédie? Dans quelle mesure est-elle insuffisante?

● Lors de la représentation de *Zaïre* qui eut lieu le 15 janvier 1733 chez Mᵐᵉ de Fontaine-Martel, devant le cardinal de Polignac, Voltaire jouait le rôle de Lusignan. Quelles réflexions vous suggère ce choix?

TABLE DES MATIERES

IMPRIMERIE HÉRISSEY. – 27000 ÉVREUX.
Dépôt légal : Juin 1972. — N° 44105. — N° de série Éditeur 14329.
IMPRIMÉ EN FRANCE (Printed in France). — 870189 G-Janvier 1988.